پچھتاوے

شفیق الرحمٰن

سنگِ میل پبلی کیشنز، لاہور

891.4397 Shafiq-ur-Rehman
Pachtaway/ Shafiq-ur-Rehman. -
Lahore : Sang - e - Meel Publications,
2001.
144p.
1. Urdu Adab - Tanz-o-Mazah
I. Title.

2001.
نیاز احمد نے
سنگ میل پبلی کیشنز، لاہور
سے شائع کی۔
قیمت = /۱۲۰ روپے

ISBN 969-35-1226-X

Sang-e-Meel Publications
25 Shahrah-e-Pakistan (Lower Mall), P.O. Box 997 Lahore-54000 PAKISTAN
Phones: 7220100-7228143 Fax: 7245101
http://www.sang-e-meel.com e-mail: smp@sang-e-meel.com
Chowk Urdu Bazar Lahore. Pakistan. Phone 7667970

کمبائن پرنٹرز، لاہور

بااحترام

مُحمّد افضل فارُوقی کے نام!

ترتیب

پچھتاوے

تمہارے متعلق پہلی مرتبہ میں نے کلب میں باتیں سنیں۔ تم پر نکتہ چینی ہو رہی تھی کہ تم انتہا درجے کی خود سر اور خود پسند ہو۔ تمہیں اپنے حسین ہونے پر بے حد ناز ہے۔ تمہیں اپنے ابّا کے عہدے پر اس قدر غرور ہے کہ تم کسی سے اچھی طرح بات نہیں کرتیں۔ تمہارے چہرے پر ہر وقت مسکراہٹ زہر دکھائی دیتی ہے۔ تمہاری گفتگو طنز آمیز ہوتی ہے۔ تمہارے لباس اس قدر شوخ اور بھڑکیلے ہوتے ہیں کہ ایک لڑکی کو زیب نہیں دیتے' اسی طرح کی بہت سی باتیں۔

نہ جانے میں نے اس ذکر میں کیوں اتنی دلچسپی لی۔ اس کی وجہ یہ نہیں تھی کہ وہاں لڑکیاں نہیں تھیں اور میں نسوانی رفاقت چاہتا تھا۔ سنگلاخ چٹانوں اور سیاہ پہاڑوں سے گھرے ہوئے اس پُر رونق کیمپ میں زندگی کی رفتار کافی تیز تھی' رقص تھے' مسکراتے ہوئے حسین چہرے تھے' موسیقی تھی' آزادی تھی۔ سب کچھ تھا۔

میں وہاں نیا نیا گیا تھا۔ تمہیں بالکل نہیں جانتا تھا۔ نہ میں نے تمہیں دیکھا تھا۔ پھر بھی تمہارے خلاف باتیں سننے کے باوجود نہ جانے تم سے دلچسپی کیوں ہو گئی۔

اس کے بعد اکثر میں اسی قسم کی باتیں سنا کرتا۔ تمہارے رویے کے متعلق' تمہارے لباس کے سلیقے کے متعلق' تمہارے نظریوں کے متعلق' ہر مرتبہ سخت قسم کی تنقید سننے میں آتی اور ہر مرتبہ یہی محسوس ہوتا کہ یہ سب کچھ غلط ہے۔ تم کچھ اور ہو۔ تم بالکل مختلف ہو۔ تمہیں کسی نے سمجھا نہیں۔ لڑکیاں تمہیں بُرا اس لیے کہتی ہیں کہ وہ تم پر رشک کرتی ہیں اور لڑکے اس لیے کہ تم ان کی پہنچ سے باہر ہو۔

لیکن بعد میں مجھے اس خیال نے کس قدر ستایا کہ کیوں نہ میں بھی ہجوم میں شامل ہو گیا۔ کیوں نہ میں بھی ان کی باتوں میں شریک ہو گیا۔ کیوں نہ میں نے تمہارے خلاف باتیں کر کے تمہیں دیکھنے سے پہلے تم سے نفرت پیدا کر لی۔

اور پھر میں نے تمہیں دیکھا۔ مَیں پِک نِک پر مدعو تھا۔ کیمپ سے دور ایک خوشنما کُنج میں —— مجھے بتایا گیا کہ تم بھی آؤ گی —— اور تم آئیں بھی تو کس طرح۔ ساری نگاہیں تم پر جم کر رہ گئیں۔ جب تمہارے ابا نے مجھ سے تمہارا تعارف کرایا تو میں نے تمہاری ایک جھلک سی دیکھی۔ جہاں تک یاد ہے تم نے مجھ پر ایک اچٹتی ہوئی نگاہ ڈالی تھی۔ بعد میں تم نے بتایا کہ اس ایک نگاہ میں مجھے اچھی طرح دیکھ لیا تھا۔ میں بیحد افسردہ تھا۔ میری آنکھوں میں اداسی جھلک رہی تھی۔ میرے بال پریشان تھے' میرے کوٹ کے کالر میں ایک مرجھایا ہوا پھول لگا ہوا تھا' حالانکہ اس روز مجھے اداس نہیں ہونا چاہیے تھا۔ اس روز فضا نہایت خوشگوار تھی۔ اونچی چوٹیوں سے خنک ہوائیں آ رہی تھیں۔ نہایت چمکیلی دھوپ پھیلی ہوئی تھی۔ پہاڑی چشمے گاتے ہوئے بہہ رہے تھے۔ چہرے مسرور تھے' دنیا مسرور تھی۔ ایک سازندہ رباب بجا رہا تھا۔ نہایت دلکش گت بج رہی تھی۔ نہ جانے کیوں ایک پرانی یاد تازہ ہو گئی جب رات گئے ایک اجنبی ملک کے کیفے میں تنہا بیٹھا تھا۔ رباب پر بالکل ایسی ہی گت بج رہی تھی۔ مدہم روشنیوں میں ہلکا ہلکا معطر دھواں پھیلا ہوا تھا۔ رقاصہ نے مجھے دیکھا اور میرے سامنے آ گئی۔ جب تک رباب بجتا رہا وہ مجھے دیکھتی رہی اور رقص کرتی رہی۔ پھر وہ میرے ساتھ آ بیٹھی اور باتیں کرنے لگی۔ وہ اپنے محبوب کے لیے غمگین تھی۔ وہ اسی میز پر بیٹھ کر اسی طرح سے اسے دیکھا کرتا تھا۔ اس کی آنکھوں سے آنسو چھلک رہے تھے۔ وہ بار بار مجھ سے پوچھتی کہ کہیں اپنا نام تو نہیں چھپا رہا ہوں؟ کہیں جھوٹ تو نہیں بول رہا ہوں۔ اس یاد نے مجھے اداس کر دیا۔ ایک واقف نے کئی مرتبہ مجھے ٹوکا اور میں نے کئی مرتبہ مسکرانے کی کوشش بھی کی۔ قریب ہی کسی پرانے قلعے کے کھنڈر تھے۔ انہیں دیکھنے گئے۔ کئی مرتبہ سیڑھیوں پر اترتے چڑھتے میرا تمہارا آمنا سامنا ہوا' لیکن میں تمہیں بالکل نہ دیکھ سکا۔ بس اتنا احساس ہوا کہ تم قریب سے گزر گئی ہو۔ جب تم ایک اونچے سے پتھر

سے اترنا چاہتی تھیں اور میں نے تمہیں بازو سے سہارا دیا تو تمہاری ایک جھلک پھر دیکھی۔ اس مرتبہ تمہاری پیشانی پر دہکتی ہوئی بندی میری آنکھوں کے سامنے کوند کر رہ گئی۔ جب تم قریب سے گزر رہی تھیں تو میں نے وہ پھول دیکھے جو تمہارے بالوں میں لگے ہوئے تھے۔ ہلکی سی خوشبو کا ایک جھونکا آیا اور چلا گیا۔

وہ دن میں نے تمہارے قریب گزارا۔ پھر بھی میں تمہارا چہرہ اچھی طرح نہ دیکھ سکا۔ تم نے بعد میں بتایا کہ اس روز میری افسردگی نے تمہیں متوجہ کر لیا تھا اور دن بھر تمہیں میرا خیال رہا۔

اس کے بعد کسی نامعلوم کشش سے ہم دونوں ایک دوسرے کے قریب آتے گئے۔ ہر روز کوئی واقعہ یا کوئی اتفاق ہمیں ملا دیتا۔ میں نے دیکھا کہ تمہارے چہرے پر وقار ہے، تمکنت ہے۔ بعض اوقات تو تم مغرور دکھائی دیتیں۔ تم سب سے الگ تھلگ رہتیں۔ خواہ اسے خود پسندی کہا جائے یا خود سری، لیکن تم میں انفرادیت ضرور تھی۔ تم ان سب لڑکیوں سے مختلف تھیں، ان سب میں نمایاں تھیں، سب سے حسین تھیں اور حسین بھی ایسی کہ تمہارے حسن میں بھی ایک انفرادیت تھی۔

تم جتنی حسین تھیں اتنا ہی خوشنما چیزوں سے تمہیں پیار تھا۔ تمہیں رنگوں کی تمیز تھی، رنگوں سے کھیلنا آتا تھا۔ تم جو لباس پہنتیں نگاہوں میں کھب کر رہ جاتا۔ یوں معلوم ہوتا کہ تمہارا لباس ماحول کے مطابق نہیں، بلکہ ماحول تمہارے لباس سے رنگ لیتا ہے۔

ایک روز گھٹائیں اُمڈ اُمڈ کر آرہی تھیں، بادل جھوم رہے تھے۔ میں نے دیکھا تم اودے لباس میں ملبوس تھیں۔ یوں معلوم ہوتا تھا جیسے تم فضا کا ایک حصہ ہو۔ ایک اداس شام کو تمہیں دیکھا۔ جھکّڑ چل رہے تھے، سُوکھے ہوئے پتے اُڑ رہے تھے، آسمان پر غبار چھایا ہوا تھا۔ تم نے خزاں کے خشک پتّوں کے رنگ کا لباس پہن رکھا تھا۔ پھر ایک اندھیری رات کو تمہیں دیکھا۔ چاند سیاہ بادلوں میں چھپا ہوا تھا۔ کبھی کبھی بادل کا کوئی کونا چمک اٹھتا۔ تمہارے سیاہ دوپٹے میں روپہلی گوٹا جھلمل جھلمل کر رہا تھا اور کائنات کا سارا نور تمہارے چہرے میں سما گیا تھا۔

ایک دفعہ چاروں طرف بہار آئی ہوئی تھے نئی نئی کونپلیں پھوٹ رہی تھیں' خشک پہاڑوں پر سبزہ اُگ رہا تھا' درختوں پر عشق پیچاں کی بیلیں بل کھاتی ہوئی چڑھ رہی تھیں۔ جدھر نظر جاتی تھی سبز ہی سبز رنگ دکھائی دے رہے تھے۔ تم ملنے آئیں تو تمہارے لباس میں ہلکے گہرے' شوخ لہریے تھے' سب ہرے رنگ کے۔

پھر ایک رات پارٹی میں آتش بازی تھی۔ رنگ برنگے قمقموں کی قطاریں تھیں اور مچلتی ہوئی روشنیاں۔ تمہارے لباس میں اس رات کتنے رنگ تھے۔ تم دہکتا ہوا تڑپتا ہوا شعلہ معلوم ہو رہی تھیں۔ تمہارے آویزے دو انگارے دکھائی دے رہے تھے' تمہارا ہار چنگاریوں سے پرویا ہوا نظر آ رہا تھا۔

اور پھر وہ خوشبو کا جھونکا جو تمہارے ساتھ آیا کرتا۔ وہ خوشبو بھی وقت اور موقعے کے مطابق ہوتی۔ تم نے کبھی تیز خوشبو نہیں لگائی۔ بس ایسی مدہم سی خوشبو' جو ہوتی بھی اور نہیں بھی ہوتی۔ صبح کو تم ایسی ہلکی ہلکی خوشبو لگاتیں جیسے غنچے چٹک رہے ہوں' پھول جاگ رہے ہوں' شبنم کے قطرے سورج کی پہلی کرن سے جھلمل جھلمل کر رہے ہوں۔ دوپہر کو شوخ خوشبو ہوتی جس میں تیز کرنوں کی تمازت' جاگی ہوئی کائنات کا ہنگامہ' چنچل پن' چھیڑ' قہقہے اور شوخیاں ہوتیں۔ شام کو ایسی خوشبو آتی جیسے تھکے پھولوں سے آ رہی ہو۔ ایسے پھولوں سے جو سورج کو دیکھ کر تھک گئے ہوں' جو تتلیوں کے بوسوں سے تھک گئے ہوں' جو ہوا کے جھونکوں سے جھوم جھوم کر تھک گئے ہوں۔ رات کو تم ملتیں تو ایسی نشہ آور اور مخمور کن خوشبو اپنے ساتھ لاتیں کہ آنکھیں نیند کے خمار سے بوجھل ہو جاتیں' چاندنی مدہم پڑ جاتی' ہوا کے جھونکے رُک جاتے۔

ہم دونوں کے درمیان اجنبیت جُوں کی تُوں تھی۔ وہ کھنچاؤ بدستور تھا۔ تم مجھ سے اتنی ہی دور تھیں جتنی ملاقاتوں سے پہلے۔ پھر وہ شام آئی۔ کلب میں رقص تھا۔ جہاں سب نے بھڑکیلے اور رنگین لباس پہن رکھے تھے وہاں تمہارا ملبوس ملگجے رنگ کا تھا۔ اس رات چودھویں کا چاند طلوع ہو رہا تھا۔ شاید تم نے چاندنی رات کا لباس پہنا تھا۔ اس لباس نے تمہیں اس قدر نمایاں کر دیا کہ سب کن انکھیوں سے تمہیں بار بار

دیکھ رہے تھے۔ ہم دونوں ایک گوشے میں بیٹھے باتیں کر رہے تھے۔ میرا دل آنے والے حادثے کے خیال سے بُری طرح دھڑک رہا تھا۔ میں طلوع ماہتاب کا ذکر کر رہا تھا۔ باغ میں حوض کے کنارے وہ لمبا سا درخت، جس میں نہ پتّے تھے نہ پھول، بس پتلی پتلی سوکھی ہوئی ٹہنیاں تھیں۔ چودھویں کا چاند ہمیشہ اس درخت کے پیچھے سے طلوع ہوتا۔ باہر نکلتے ہی جیسے ٹہنیوں میں الجھ کر رہ جاتا اور درخت کی چوٹی تک پہنچنے اور آسمان میں تیرنے کے لیے اسے کافی دیر لگتی۔ حوض میں چاند اور درخت دونوں کا عکس پڑتا۔ میں تمہیں یہ نظارہ دکھانا چاہتا تھا۔

جب موسیقی شروع ہوئی اور لوگ رقص کرنے لگے تو میں نے باہر چلنے کو کہا اور تم مان گئیں۔ ہم باہر نکل آئے۔ جب روشن سڑکوں کو چھوڑ کر تاریک گوشوں میں داخل ہونے لگے تو تم ٹھٹھک گئیں، چلتے چلتے رک گئیں۔ تم نے کچھ دیر سوچا بھی۔ میں نے اصرار کیا اور تم میرے بازو کا سہارا لے کر پودوں کے تختوں میں ساتھ ساتھ چلنے لگیں۔ چاند ابھی تک نہیں نکلا تھا۔ اونچے اونچے درخت بالکل خاموش کھڑے تھے۔ ٹمٹماتے ہوئے تاروں کی مدھم روشنی میں ایک تاریک کُنج آیا اور نہ جانے کیوں کر تم میرے بازوؤں میں آگئیں۔

تم میرے سینے سے لگی ہوئی تھیں اور میں سرگوشیوں میں نہ جانے کیا کچھ کہہ رہا تھا۔ باتیں جن کے متعلق میں نے پہلے کبھی نہیں سوچا تھا جو میں ویسے کبھی نہ کہتا جن کی اہمیت کا مجھے اندازہ نہ تھا۔

چاند طلوع ہوا اور کرنوں سے تمہارا چہرہ جگمگا اٹھا۔ تمہارا ملگجا لباس اور چاندنی گُھل مِل کر رہ گئے۔ یوں معلوم ہو رہا تھا جیسے تم چاندنی کی پہلی کرن کے ساتھ زمین پر اتری ہو۔ موسیقی کی دھیمی دھیمی آواز آ رہی تھی۔ بڑی پیاری دھن بج رہی تھی۔ جب تم میرے بازوؤں میں سمٹی ہوئی مجھے دیکھ رہی تھیں، تو یقین نہیں آ رہا تھا کہ یہ تم ہی ہو تم جو کہ اتنی مغرور، شوخ اور خودسر تھیں۔ جس کے قُرب کے لیے وہاں سب ترستے تھے، جو چند لمحے پیشتر مجھ سے اتنی دور تھیں جتنے آسمان کے تارے۔ اور تم خود وہاں آئی تھیں، تمہیں دنیا کی کوئی طاقت وہاں آنے پر مجبور نہیں کر سکتی تھی۔ تم خود آنا چاہتی تھیں۔ وہ شام زندگی کی رنگین ترین شاموں میں سے تھی، لیکن بعد میں

میں نے محسوس کیا کہ وہ شام بہت جلد آگئی۔ میں نے بہت جلد وہ سب کچھ کہہ دیا۔ مجھے ابھی کچھ دیر انتظار کرنا چاہیے تھا۔ کاش کہ میں نے اتنی جلدی نہ کی ہوتی۔ جب تم میرے ساتھ چلتے چلتے اس تاریک گوشے میں ٹھٹھک کر رہ گئی تھیں ہم وہیں سے واپس لوٹ آتے۔ کاش کہ میں نے اتنی جلدی وہ سب کچھ نہ کہا ہوتا۔

اس کے بعد تم میری دنیا پر چھا گئیں' میرے دل دماغ میں بس گئیں۔ تمہیں پھول پسند تھے اور مجھے پھولوں کا خبط ہو گیا۔ ہر روز طرح طرح کے پھول چُن کر تمہارے لیے لاتا۔ جب آس پاس کے پھول باسی ہو گئے تو دُور دُور سے پھول لانے لگا۔ ویرانوں کے اُداس پھول' ندیوں کے کناروں پر جھومتے ہوئے پھول' چٹانوں میں اُگے ہوئے اِکے دُکے پھول' اونچے اونچے پودوں میں شرارتاً چھپے ہوئے پھول۔ دور دور تک جتنے باغ تھے میں نے اُجاڑ دیے۔ اور تمہیں پھولوں کی زبان آتی تھی۔ ایک دفعہ تم خفا تھیں' تم نے مجھے زرد پھول بھیجے جن سے نفرت عیاں تھی۔ میں کچھ روز تمہارے ہاں نہیں گیا' تم نے نرگس کے پھول بھیجے اور مجھے یقین ہو گیا کہ تم میرا انتظار کر رہی ہو۔ ایک روز تم نے مجھے کہیں لڑکیوں کے جھرمٹ میں دیکھا' جن سے میں ہنس کر باتیں کر رہا تھا۔ تم نے ایک گلدستہ بھیجا جس کے وسط میں ایک شوخ پھول تھا اور چاروں طرف کلیاں تھیں۔ تم مجھے ہرجائی کہنا چاہتی تھیں۔ جب میں نے ایک روز چھیڑ کے طور پر ایک ایسا گلدستہ بھیجا جس میں ایک شوخ کلی پھولوں سے گِھری ہوئی تھی تو تم نے سفید غنچے بھیجے۔ ان سفید غنچوں میں سادگی تھی' معصومیت اور عفت تھی۔ ایک مرتبہ میں تم سے روٹھ گیا تو سرخ پُھول آئے۔ ان پھولوں کے پیغام کو میں سمجھ گیا اس میں محبت کی حدّت تھی۔

پھر مجھے کچھ عرصے کے لیے باہر جانا پڑا۔ گھڑی گھڑی گِن کر یہ ناخوشگوار وقفہ تمام ہوا۔ واپس لوٹا تو تم میں کچھ تبدیلی سی محسوس ہوئی۔ شاید یہ واہمہ تھا' لیکن تمہارے رویے میں کچھ روکھا پن تھا' بے توجہی سی تھی۔ ایک شام کو ہم اسی کُنج میں ملے۔ میں نے خط نہ لکھنے کی شکایت کی۔ تم بولیں لکھنے کو جی تو چاہتا تھا' بس یہی سوچتی رہی کہ القاب کیا لکھوں لیکن میری اس سے تسلی نہ ہوئی۔ شاید یہ ردِّ عمل تھا! تم نے

کلب میں آنا کم کر دیا۔ تم وہاں آنے سے گریز کرنے لگیں جہاں میرے آسکنے کا امکان ہوتا۔ ایک صبح مجھے باہر جانا تھا۔ رات بھر بارش ہوتی رہی تھی اور پہاڑی راستوں پر پانی بہہ رہا تھا۔ تمہارا ملازم آیا' تمہارا پیغام لے کر کہ موٹر آہستہ آہستہ چلانا۔ اس خیال نے مجھے دن بھر مگن رکھا کہ تم میرے متعلق سوچتی رہی ہو۔ ایک روز معلوم ہوا کہ میرے تبادلے کے احکامات آئے تھے اور تم نے اپنے ابّا سے کہہ کر منسوخ کرا دیے۔ میں نے پوچھا کیوں؟ تم بولیں۔ بس یونہی۔

پھر ایک روز تمہارے ہاں مہمان آئے' ان میں تمہارا منگیتر بھی تھا۔ ایک سال پہلے تم نے خود اسے چُنا تھا۔ وہ ایک مخلص اور حسّاس سالڑ کا معلوم ہوتا تھا۔ تم نے اس کی دی ہوئی انگوٹھی پہن رکھی تھی اور میں تم دونوں کو اکھٹے دیکھا کرتا۔ مجھ سے تمہاری بے رخی بڑھتی گئی۔ تمہارے ہاں میرا آنا جانا کم ہوتا گیا۔ تم نے بھی مجھے بلانا چھوڑ دیا۔ ایک سہ پہر کو تم تنہا مل گئیں۔ تم بے حد مسرور تھیں۔ میرا خیال تھا کہ میرے نہ آنے کی وجہ پوچھو گی۔ شاید تمہیں کچھ افسوس ہو گا' شاید تم شکایت کرو گی۔ لیکن تم نے اس کا ذکر تک نہیں کیا۔ آخر میں نے خود تمہیں شام کو باغ میں تنہا بلایا۔ تم ٹال گئیں میں نے تمہاری بے رخی کا شکوہ کیا تو تم نے بڑی سرد مہری سے کہا کہ تمہاری طبیعت ہی کچھ ایسی ہے۔ تم نے تین چار لڑکیوں کے نام لے لے کر مجھے چھیڑنا شروع کر دیا۔ تم سے کسی اور قسم کی گفتگو کرنا چاہتا تھا' لیکن تم دانستہ طور پر اُکھڑی اُکھڑی باتیں کرتی رہیں۔ اس کے بعد میں تمہارے ہاں عرصے تک نہیں گیا۔ ویسے سنا کرتا کہ آج تم اپنے منگیتر کے ساتھ آئی تھیں۔ آج تم کہیں مدعو تھیں۔ آج تم دونوں نے لوگوں کو بلایا ہے' آج تم بے حد خوش تھیں۔ یہ سن سن کر میں کتنا اداس ہو جایا کرتا۔ نہ کہیں باہر جاتا' نہ کسی سے ملتا' وقت گزارنا محال ہو گیا۔

پھر ایک روز سنا کہ تمہارے ابّا کا دُور تبادلہ ہو گیا ہے اور چند دنوں تک وہ چلے جائیں گے۔ کلب میں الوداعی پارٹی ہوئی۔ میں اس پارٹی میں نہیں جانا چاہتا تھا۔ وہ شام کہیں باہر گزارنا چاہتا تھا' لیکن اتفاق سے راستے میں تمہارے ابّا مل گئے اور مجھے ان کے ساتھ جانا پڑا۔ میں نے تہیہ کر لیا کہ آج کلب میں لڑکیوں کے ساتھ خوب ہنسوں

گا، چہلیں کروں گا، انہیں چھیڑوں گا، ان کے ساتھ رقص کروں گا۔ تمہاری طرف دیکھوں گا بھی نہیں۔ ان میں سے چند ایک مجھے پسند بھی کرتی تھیں۔ اتفاق سے اس رات چاند کی چودھویں بھی تھی اور میں آسانی سے کسی لڑکی کو طلوع ماہتاب دکھانے کے بہانے باغ میں لے جا سکتا تھا، لیکن تمہیں دیکھ کر نہ جانے کیا ہو گیا۔ میں ایک کونے میں تنہا جا بیٹھا۔ بس بار بار یہی خیال آرہا تھا کہ تم جا رہی ہو۔ شاید اب تمہیں کبھی نہیں دیکھ سکوں گا۔ تم کئی دفعہ قریب سے گزریں۔ میز پر میرے برابر بیٹھیں۔ مگر میں بالکل خاموش تھا۔ پھر تم نے مجھے بتایا کہ تم جا رہی ہو۔ تم نے یہ بھی کہا کہ کل شام کو میں تمہیں کہیں ملوں۔ میں لگاتار خاموش رہا۔ اس رات میں نے نہ لڑکیوں سے بات کی، نہ رقص میں شامل ہوا بلکہ بہت جلد لوٹ آیا۔

اگلے روز میں کہیں نہیں گیا۔ مجھے کسی نے بتایا کہ تم کلب میں آئی تھیں۔ حوض کے کنارے دیر تک بیٹھی رہیں۔ تمہیں کسی کا انتظار تھا۔ پھر تمہارا ملازم پیغام لایا کہ تم رات کو چلی جاؤ گی۔ تم نے شام کو مجھے بلایا تھا، اپنی کوٹھی کے عقب درختوں کے جُھنڈ میں، لیکن میں نہیں گیا۔ میں رات کو تمہارے ابّا سے بھی نہیں ملا۔ اور تم چلی گئیں۔ میں ایک اونچے ٹیلے سے اس سڑک کو دیکھ رہا تھا جو سیدھی ان پہاڑوں کی طرف جاتی تھی جن میں سے چاند طلوع ہو رہا ہے۔ سڑک یوں چمک رہی تھی جیسے چاندی کا تار۔ پھر تمہاری کوٹھی سے نکلتی ہوئی کار نظر آئی۔ جو بل کھاتی ہوئی سڑک اور پہاڑوں میں گُم ہو گئی۔ بعد میں جب کبھی پہاڑوں سے چاند طلوع ہوتا اور سڑک چمک اٹھتی تو مجھے وہ رات یاد آجاتی جب تم نے مجھے بلایا تھا اور میں نہیں گیا۔ جب تم میرا انتظار کرتے کرتے چلی گئی تھیں۔

چند ماہ کے بعد سنا کہ تمہاری منگنی ٹوٹ گئی اور تمہارے منگیتر نے کسی اور لڑکی سے شادی کر لی۔ مجھے بہت دنوں تک یہی افسوس رہا کہ شاید اس کا ذمہ دار میں ہوں۔ وہ تمہارا منگیتر تھا جسے تم نے خود چُنا تھا۔ تمہارا اور اس کا ایک مقدس رشتہ تھا جو شاید میری وجہ سے ٹوٹ گیا۔ کاش کہ میں اس رات، اُس قدر اداس نہ ہوتا۔ اس رات لڑکیوں سے خوب کھیلتا، رقص کرتا اور تم پر ظاہر کر دیتا کہ میں جُھوٹا ہوں، ہر جائی ہوں اور مجھے تمہاری اتنی سی پروا نہیں ہے۔

نہ جانے کیوں مجھے یقین ہو گیا تھا کہ تم خط لکھو گی۔ ہر روز تمہارے خط کا انتظار رہنے لگا‘ لیکن خط نہ آیا جب کچھ عرصے کے بعد بالکل نااُمیّد ہو گیا تو میں نے تمہارے پرانے ملازم کو کسی بہانے تمہارے ہاں بھیجا۔ اس نے واپس آکر بتایا کہ تم وہاں بے حد خوش رہتی ہو۔ تم مصوری سیکھ رہی ہو۔ اور یہ کہ تمہیں میرا پیغام ملا تو تم نے ہنس کر موضوع بدل دیا۔ اس کے بار بار پوچھنے پر بھی کوئی جواب نہ دیا۔ تم نے میرے بھیجے ہوئے تحفے واپس لوٹا دیے۔ تم نے صرف اتنا کہا کہ تم خط و کتابت میں سُست ہو——دن گزرتے گئے——وہاں سے میرا تبادلہ ہو گیا۔ سفر کرتے ہوئے میں صحرا سے گزر رہا تھا کہ ایک جگہ تمہارے ابّا مل گئے۔ انہوں نے اصرار کیا کہ ایک دو دن ان کے ساتھ گزاروں۔ تمہاری چھٹیاں تھیں اور تم بھی وہاں آئی ہوئی تھیں۔ تم بڑی طنزیہ مسکراہٹ کے ساتھ ملیں۔ تم نے مجھے کئی لڑکیوں کے نام لے لے کر چھیڑا‘ میرا مذاق اُڑایا۔ تمہاری باتوں میں زہر تھا۔ دیر تک تم کچوکے لگاتی رہیں۔ رات بھر مجھے نیند نہ آئی‘ غصے سے تلملایا کیا۔ صبح صبح تم تنہا مل گئیں اور مجھ سے نہ رہا گیا۔ میں نے تمہیں سنگدل کہا‘ بے وفا کہا۔ بے مروّت‘ مغرور‘ خود غرض اور نہ جانے کیا کیا کہا اور تم چُپ چاپ سنتی رہیں‘ حتیٰ کہ میرے پاس الفاظ نہ رہے۔ جب میں سب کچھ کہہ چکا تو تم چلی گئیں۔ میں اسی روز جانا چاہتا تھا‘ لیکن تمہارے ابّا نہ مانے۔

شام کو میں برآمدے میں بیٹھا تھا۔ دور ریت کے ٹیلوں میں ایک نخلستان تھا جہاں کھجور کے درخت ایک جھیل پر جُھکے ہوئے تھے۔ آسمان میں چند دنوں کا نکلا ہوا پتلا سا چاند چمک رہا تھا۔ خوشبو کا ایک جھونکا آیا اور تم آگئیں۔ سولہ سنگار کیے ہوئے‘ ایسی سج دھج کے ساتھ کہ تم پر نگاہیں نہ جمتی تھیں۔ تمہارے چہرے پر نرالا روپ تھا۔ تمہارے رخساروں پر صبحِ صادق کی جلا تھی‘ لیکن آنکھوں میں پشیمانی۔ تم مجھ سے کچھ مانگنے آئی تھیں۔ تم اتنی پیاری لگ رہی تھیں کہ اس وقت اگر جان مانگتیں تو میں وہ بھی قربان کر دیتا۔ تم نے مجھ سے مانگا بھی تو کیا——معافی۔

جب میں تمہاری نئی تصویر کی تلاش میں تمہارے کمرے میں گیا تو ایک چھوٹے سے چمڑے کے بٹوے میں میری کچھ چیزیں ملیں۔ میری تصویریں‘ میرے رومال اور ایک سگریٹ کا جلا ہوا ٹکڑا۔ پوچھنے پر تم نے بتایا کہ اس شام حوض کے

کنارے اسی کُنج میں مَیں نے سگریٹ کا ٹکڑا پھینک کر پاؤں سے کچل دیا تھا۔ تم نے اسے اُٹھا کر رکھ لیا۔

پھر ہم ریت پر چلتے گئے۔ دور دور تک ریت کے روپہلے ٹیلے سوئے ہوئے تھے۔ نخلستان آیا۔ جھیل کا پانی ساکن تھا۔ کھجور کے لمبے لمبے درخت چپ چاپ کھڑے تھے۔ جب تم میرے شانے سے سر لگائے باتیں کر رہی تھیں تو میں سب گِلے شکوے بھول چکا تھا۔ مجھے وہ طویل اور تلخ وقفہ بھی بھول گیا تھا جو ہماری دونوں ملاقاتوں کے درمیان آ چکا تھا۔ میں وہی باتیں دوہرا رہا تھا جو پہلے کی تھیں۔

تب مجھے محسوس ہوا کہ وہ الفاظ بہت سخت تھے جو میں نے تم سے کہے تھے۔ وہ اندازِ تکلّم نہایت تلخ تھا۔ مجھے کیا حق تھا؟ میں نے یونہی وہ سب کچھ کہا اور پھر تم چپ چاپ سنتی رہیں۔ تم سامنے سے ایک دفعہ بھی تو نہیں بولیں۔ کاش کہ میں نے ذرا ضبط سے کام لیا ہوتا۔ کاش کہ میں نے وہ ناگوار الفاظ نہ کہے ہوتے۔ مدتوں اس خیال نے پشیمان رکھا۔

تم نے خط لکھنے کے وعدے کیے تھے۔ یہ بھی کہا تھا کہ اپنی کسی سہیلی کی معرفت میرے خط منگوایا کرو گی اور یہ کہ میں تمہارے کالج میں ملنے آؤں۔ تمہیں میرا انتظار رہے گا۔ ہفتے گزرے، لیکن تمہارا خط نہ آیا۔ کسی نے بتایا کہ تم رقص سیکھ رہی ہو۔ تم نے کئی نئے ساز سیکھے ہیں۔ تم نہایت مسرور رہتی ہو۔ میں افسردہ ہو گیا۔ شاید میں تمہیں مسرور نہ دیکھنا چاہتا تھا۔ شاید تمہاری خوشیوں سے مجھے رنج پہنچتا تھا۔ تمہارے کالج میں تم سے ملنے گیا۔ اطلاع بھجوائی، تم کلاس کے بعد بھی نہ آئیں۔ مَیں نے پھر کہلوایا۔ دیر تک انتظار کرتا رہا۔ تم ذرا سی دیر کے لیے آئیں اور یوں ظاہر کیا جیسے تمہیں میرے آنے پر بالکل خوشی نہیں ہوئی۔ میں نے شکایتیں کیں تو تم نے فوراً موضوع بدل دیا۔ میں نے کہا کہ سہ پہر کو کہیں اکٹھے چائے پئیں، تم نے انکار کر دیا۔ میں نے دوبارہ ملنے کے لیے پوچھا تم نے نفی میں جواب دیا۔ پھر تم نے مزید انتظار کرایا۔ کالج کا وقت ختم ہونے تک تمہاری راہ تکتا رہا۔ تم آئیں تو تمہاری یہ کوشش تھی کہ کہیں تمہاری سہیلیاں مجھے تمہارے ساتھ نہ دیکھ لیں۔ بڑی تیزی سے ہم نے وہ میدان عبور

کیا۔ اور جب ہم سائیکلوں پر جا رہے تھے تو میں بہت سی باتیں کرنا چاہتا تھا۔ تم ہر چوک پر چاہتی تھیں کہ میں کہیں چلا جاؤں۔ ایک دو دفعہ تم نے کہا بھی۔ پھر ایک موڑ پر تم بغیر کچھ کہے ایک طرف مُڑ گئیں۔ میں دیر تک وہیں کھڑا رہا۔ تم نے ایک مرتبہ بھی پیچھے مُڑ کر نہیں دیکھا۔ میں حیران رہ گیا۔ تم سے ایسے رویے کی ہرگز توقع نہیں تھی۔ میں نے فیصلہ کر لیا کہ پھر کبھی تم سے نہیں ملوں گا۔ تمہارا خیال چھوڑ دوں گا، تمہیں بالکل بھلا دوں گا۔

اس کے بعد مَیں ایسی جگہ تھا جہاں ہر وقت بارش ہوا کرتی۔ جہاں اس قدر تنہائی تھی کہ نہ زندہ رہنے کی خوشی تھی نہ افسوس۔ سب صبحیں ایک سی تھیں اور سب شامیں ایک جیسی۔ پھر ایک روز تمہارا خط ملا۔ یہ تمہارا پہلا خط تھا۔ تم نے میرا پتہ بالکل صحیح لکھا تھا۔ تم جانتی تھیں کہ میں کہاں ہوں۔ خط میں القاب نہیں تھے۔ تم نے اپنا پروگرام لکھا تھا کہ اپنی کسی پروفیسر اور سہیلیوں سے ملنے دارجیلنگ جا رہی ہو۔ تم نے مجھے بلایا تو نہیں تھا، لیکن اپنے جانے کی تاریخ اور ٹرین کا وقت لکھا تھا۔ میں ہرگز نہ آتا، اگر اس قدر اداس اور تنہا نہ ہوتا۔ شاید یہ دلدوز تنہائی تھی جس نے مجبور کر دیا۔ میں نے چھٹی لی۔ وقت تھوڑا رہ گیا تھا اور ریل کے سفر میں لمبا چکر کاٹنا پڑتا تھا۔ میں نے کچھ راستہ موٹر سے طے کیا، کچھ سٹیمر سے اور کچھ پیدل۔ تم سٹیشن پر مجھے ڈھونڈ رہی تھیں۔ نہ ہم نے آپس میں باتیں کیں، نہ ایک دوسرے کو دیکھا بس نیچی نظریں کیے ٹرین میں بیٹھے رہے۔ دارجیلنگ پہنچے تو تمہاری سہیلیاں منتظر ملیں۔ یہ وہی لڑکیاں تھیں جن کو میں نے تمہارے کالج میں دیکھا تھا جن کے سامنے تمہیں میرے ہمراہ چلنے میں بھی احتراز تھا۔ ان سے تم نے میرا تعارف کرایا، لیکن تم میرا نام لینے سے گریز کرتی رہیں۔

شام کو تم سے ملنے گیا۔ بادل نیچے اُتر آئے تھے اور ہلکی ہلکی دھند پھیلنی جا رہی تھی۔ بوندیں پڑنی شروع ہو گئیں اور ہم زیادہ دور نہ جا سکے۔ ایک کیفے میں موسیقی سنتے رہے۔ پھر پکچر دیکھی۔ جب رات گئے واپس آ رہے تھے تو بالکل خاموش تھے۔ وہ جگہ آئی جہاں تمہاری پروفیسر کے ہوٹل کو راستہ جاتا تھا۔ میں منتظر تھا کہ تم اس طرف کا رخ کرو گی اور میں تمہیں چھوڑ آؤں گا، لیکن تم اس راستے پر نہیں مُڑیں۔ ہم اکٹھے

چلتے گئے حتیٰ کہ میرا ہوٹل آ گیا۔ میرا کمرہ اوپر تھا۔ سامنے چھوٹی سی بالکنی تھی۔ کچھ دیر کے بعد ہم دونوں خاموشی سے ایک دوسرے کو دیکھ رہے تھے۔ یکایک تمہاری آنکھیں نم ناک ہو گئیں۔ تم نے سر جھکا لیا اور آنسو پونچھنے لگیں۔ میں تمہارے قریب ہو گیا اور تم خود میری آغوش میں آ گئیں۔ ٹین کی چھت پر ٹپ ٹپ بوندیں گر رہی تھیں۔ بادل اندر آ گئے۔ بڑھتی ہوئی دھند نے ہمیں یوں گھیر لیا کہ فضا میں فقط ہم دو رہ گئے۔ تم اور مَیں۔

بارش تیز ہوتی گئی۔ بادل گرجتے رہے۔ بجلیاں چمکتی رہیں۔ ٹین کی چھت پر بوندیں شور مچاتی رہیں۔ بڑھتی ہوئی دھند میں ہم ایک دوسرے کو ٹکٹکی باندھے دیکھتے رہے۔ جب بارش تھمی تو میں تمہیں چھوڑنے گیا۔ سڑکیں سنسان پڑی تھیں۔ آسمان پر تارے چمک رہے تھے۔ رخصت ہوتے وقت تم نے بڑے پیارے انداز سے اپنی ہتھیلیاں ملا کر سر کی جنبش سے مجھے سلام کیا۔ اتنی محبت سے تم نے پہلی مرتبہ مجھے سلام کیا تھا۔

پھر نہایت چمکیلا اور روشن دن طلوع ہوا۔ تم مجھے لینے آئیں۔ تم نے قوسِ قزح کے رنگوں کی ساڑی پہن رکھی تھی۔ تمہارے گلے میں ایک شوخ رومال تھا۔ کانوں میں رنگین آویزے تھے۔ تمہارے چہرے پر بلا کی چمک دمک تھی۔ تم نے اصرار کیا کہ میں بھی شوخ لباس پہنوں۔ آسمان بالکل صاف تھا۔ فضا نکھری ہوئی تھی۔ نہایت چمکیلی دھوپ پھیلی ہوئی تھی اور دُور دُور کے پہاڑ اور وادیاں نظر آ رہی تھیں۔ ہم دونوں بچوں کی طرح ہاتھ میں ہاتھ ڈالے اس مسحور کن خطّے میں پھر رہے تھے جہاں گوشہ گوشہ طلسم زدہ معلوم ہو رہا تھا۔ ہم باغ کے اس حصے میں گئے جہاں شیشے کی دیواروں میں شیشے کی چھتوں کے نیچے لاتعداد پھول کھلے ہوئے تھے۔ قسم قسم کے، رنگ رنگ کے، طرح طرح کے، سادے، رنگین، معطّر پھول مسکرا رہے تھے، شرما رہے تھے، پھول متحیّر تھے، پھول کچھ سوچ رہے تھے، پھول قہقہے لگا رہے تھے۔ تم اپنے شوخ لباس میں اس رنگین ماحول میں کچھ اس طرح کھو گئیں کہ چند تتلیاں پھولوں کو چھوڑ کر تمہارے گرد طواف کرنے لگیں۔ تم نے مجھ سے کہا کہ چند پھول تمہارے

بالوں میں لگا دوں۔ جب میں انہیں تمہارے بالوں میں سجا رہا تھا تو نہ جانے کیوں تمہاری پلکیں جھک گئیں اور تمہارا چہرہ تمتما اٹھا۔

اگلی صبح میں تمہیں لینے گیا تو تم اکیلی بیٹھی کچھ لکھ رہی تھیں۔ مجھے دیکھ کر تم نے وہ کاغذ چھپا لیا۔ میں نے دیکھنے کے لیے اصرار کیا' تم نہ مانیں۔ میں نے کاغذ چھین لیا۔ اس پر تم نے کئی جگہ ایک نیا نام لکھا تھا' اپنے اور میرے نام کو ملا کر۔

چلتے وقت میں نے تمہیں یاد دلایا کہ تم بِندی لگانا بھول گئی تھیں۔ تم آئینے کے سامنے گئیں۔ پھر تمہیں کچھ خیال آگیا اور تم نے مجھ سے کہا کہ لگا دوں۔ جب میں نے تمہاری پیشانی پر سرخ دہکتی ہوئی بِندی لگائی تو تمہاری نگاہیں جھک گئیں۔ چہرہ گلابی ہو گیا۔ تم نے پلّو سر پر کھینچ لیا۔

ہم چِیڑ کے جنگل سے گزر رہے تھے جہاں اونچے اونچے درخت سر ملائے کھڑے تھے۔ ٹہنیوں اور پتّوں سے چھنتی ہوئی کرنیں زمین پر طرح طرح کے نقوش بنا رہی تھیں۔ روشنی اور سایوں کا یہ امتزاج نہایت دلآویز تھا۔ دیر تک ہم ہاتھ میں ہاتھ ڈالے یوں چلتے رہے جیسے راستہ بھول گئے ہوں۔ جنگل ختم ہوا تو ایک نہایت خوشنما آبشار آئی۔ پانی بڑی بلندی سے گر رہا تھا۔ دور دور تک پھوار اُڑ رہی تھی۔ ہم ایک پتھر پر بیٹھ کر پھوار میں بھیگنے لگے۔ سامنے نہایت وسیع وادی تھی جس پر دُھند چھائی ہوئی تھی۔ دیکھتے دیکھتے ہوا کے تیز جھونکوں سے دُھند چھَنٹ گئی اور کنچن چنگا نظر آنے لگی۔ وہ نظارا ایسا تھا کہ سب سیاح مرعوب ہو کر رہ گئے اور خاموشی سے برف کی جھلمل جھلمل کرتی ہوئی اس خوشنما دیوار کو ٹکٹکی باندھے دیکھتے رہے جو آسمان کو چھو رہی تھی۔ دھند پھر آ گئی اور چوٹی آنکھوں سے اوجھل ہو گئی۔

راستے میں میرا ایک امریکن دوست مل گیا' جس نے تمہاری طرف اشارہ کر کے کچھ زیرِ لب پوچھا۔ مَیں نے نفی میں سر ہلا دیا۔

اس سے تمہارا تعارف کرایا۔ ہم تینوں باتیں کرتے رہے۔ ایک جوہری کی دکان پر وہ کچھ خرید رہا تھا۔ تمہاری خالی انگلیاں دیکھ کر میں یونہی انگوٹھیوں کی باتیں کرنے لگا۔ تم نے بتایا کہ تمہیں سادی انگوٹھی پسند ہے۔ ایسی جس میں نہ نگ ہو نہ نام لکھا ہو' نہ کسی رنگ کی آمیزش ہو۔ بس بالکل سادی ہو۔ تم کسی معمولی انگوٹھی کا ذکر

ہرگز نہیں کر رہی تھیں بلکہ ایسی انگوٹھی کا جو ایک خاص موقعے پر پہنی جاتی ہے۔ پھر میرے امریکن دوست نے پوچھا کہ تم میرا نام کیوں نہیں لیتیں؟ تم نے آہستہ سے کہا — نام نہیں لیا کرتے۔

اس وقت تمہارے چہرے پر ایسی جھلک نظر آئی جو پہلے کبھی نہ دیکھی تھی، جس میں اعتماد تھا، معصومیت تھی، تقدس تھا اور ایک پیغام تھا۔

جب میرا دوست مجھے پھر ملا تو اس نے تمہاری بڑی تعریف کی۔ اس نے بتایا کہ حسین ہونے کے علاوہ تم میں ایک خاص جاذبیت ہے۔ تمہاری رگ رگ میں زندگی کی تڑپ ہے۔ تمہاری آنکھوں میں زندگی رقصاں ہے، تم مجسّم زندگی ہو۔

صبح کاذب کا وقت تھا جب ہم ٹائیگر ہل پر طلوع آفتاب دیکھنے گئے۔ نہایت سرد ہوا چل رہی تھی۔ آسمان پر تارے بڑی تیزی سے چمک رہے تھے۔ کہکشاں اتنی قریب معلوم ہو رہی تھی جیسے ہاتھ بڑھا کر چھُوئی جا سکتی ہو۔ جدھر نظر جاتی آسمان سے ملی ہوئی برفانی چوٹیاں دکھائی دے رہی تھیں اور اونچے اونچے پہاڑوں کے سلسلوں نے ہمیں گھیر رکھا تھا۔ ہم دونوں بیٹھے مشرق کی ہلکی ہلکی روشنی دیکھ رہے تھے۔ ہوا کے جھونکوں سے تمہارے بال پریشان تھے۔ تمہارے چہرے پر نو شگفتہ پھولوں کی تازگی تھی۔ اس نیم تاریک ماحول میں سب سے روشن شے تمہارا چہرہ تھی جس پر تاروں سے زیادہ نور تھا۔

صبح کا تارہ طلوع ہوا۔ پھر مشرق کا اُجالا بڑھ گیا۔ کنچن چنگا سے روشنی منعکس ہونے لگی۔ دفعتاً تارے دھندلے پڑ گئے اور برف کی اس عظیم دیوار کا رنگ بدل گیا۔ ہلکی ہلکی گلابی جھلک آ گئی۔ آس پاس کی تمام پہاڑیوں پر عکس پڑنے لگا۔ رنگ تیز ہو کر یکلخت بدل گیا اور ساری کائنات اُودی ہو گئی۔ اُودا رنگ نیلا ہوا، پھر سبز، زرد، نارنجی، سرخ، قوس قزح کے سارے رنگ باری باری آئے اور برفانی چوٹیوں سے منعکس ہوتے رہے۔ پھر مشرق سے پگھلا ہوا سونا بہنے لگا اور چاروں طرف آگ سی لگ گئی۔ ایک بہت بڑی گھومتی ہوئی سنہری گیند جھانکنے لگی۔ لوگ ایک سمت میں اشارہ کرنے لگے۔ دور تین چھوٹی چھوٹی سفید چوٹیاں نظر آ رہی تھی۔ THREE SISTERS—

جن میں اس دنیا کی سب سے اونچی چوٹی ماؤنٹ ایورسٹ بھی تھی جو زیادہ فاصلے کی وجہ سے اتنی ذرا سی معلوم ہو رہی تھی۔ پھر سب کچھ اتنی تیزی سے چمکنے لگا کہ آنکھیں چندھیا گئیں۔

طلوعِ آفتاب کا نظارہ زندگی کی حسین ترین یادوں میں سے ہے۔ جب کبھی یاد آتا ہے تم یاد آجاتی ہو جو اس خواب کی دنیا میں میرے ساتھ تھیں جہاں رنگوں کے طوفان مچل رہے تھے۔ نور کے اس بیکراں سمندر میں قدرت نے اپنے رنگ ختم کر دیے تھے۔

وہ چند دن کتنی خوشیوں میں گزرے۔ پہلے ارادہ تھا کہ تم سے بہت سی شکائتیں کروں گا، تم سے خوب خفا ہوں گا، لیکن نہ جانے کیوں میں نے یہ ذکر بالکل نہ چھیڑا۔ تمہارے چہرے پر اس قدر پیار تھا کہ میں نے سب کچھ بھلا دیا۔ جب ہم واپس آ رہے تھے تو تم نے وعدہ کیا کہ ہر تیسرے روز خط لکھا کروں گی۔ تمہیں لمحہ میرا انتظار رہے گا۔ اگر میں نے آنے میں دیر کر دی تو تم خود مجھے لینے آجاؤ گی۔

جب ہم جدا ہوئے تو تمہاری آنکھیں نمناک تھیں۔ تمہاری ٹرین چل دی۔ میں دروازے میں کھڑا تم سے باتیں کر رہا تھا، جب اُترنے لگا تو تم بولیں۔ ذرا سنبھل کر اُتریے۔ تمہارے یہ الفاظ مجھے بڑے اچھے لگے۔ یہ فقرہ میرے حافظے میں جم کر رہ گیا۔ واپس آکر ایک خیال نے کتنا ستایا، کتنا بے چین کیا۔ اس مرتبہ تم کس قدر مختلف تھیں۔ تمہارا رویہ، تمہاری باتیں، میرا نام لینے سے گریز، انگوٹھی کا ذکر، بات بات پر شرمانا اور وہ جھلک جو میں نے پہلی مرتبہ دیکھی۔ تم چاہتی تھیں کہ ہم مستقبل کی باتیں کریں۔ میں تمہیں شادی کے لیے کچھ کہوں۔ تم بے قرار تھیں کہ میں شادی کے لیے کہہ دوں۔ ایک دو مرتبہ مجھے خیال بھی آیا، لیکن پھر نہ جانے کیا ہوا کہ خاموش ہی رہا۔ تم میرے منہ سے وہ الفاظ سننے کے لیے بے قرار تھیں۔ کاش کہ میں نے کہہ دیا ہوتا۔ اگرچہ ہم ایک دوسرے سے شاید جھوٹ بولتے، لیکن کچھ دیر اکٹھے بیٹھ کر آئندہ زندگی کے منصوبے باندھتے۔ تم شرما جاتیں۔ بڑی پیاری پیاری باتیں ہوتیں۔

کاش کہ میں نے کہہ دیا ہوتا۔

ایک وقفہ گزر گیا اور تم نے مجھے یاد نہیں کیا۔ بڑے انتظار کے بعد تمہاری ایک سہیلی کا خط ملا۔ یہ وہی لڑکی تھی جس سے تم نے دارجیلنگ میں ملایا تھا۔ یہ خط اس نے تمہارے ایما پر بھیجا تھا۔ اس نے بتایا تھا کہ تم مجھے خط نہیں لکھو گی۔ میں انتظار کرنا چھوڑ دوں اور تمہیں ملنے بھی نہ آؤں۔ مجھے اعتبار نہیں آیا۔ میں نے خط بھیج کر وجہ دریافت کی۔ جواب آیا صرف اتنا کہ بس تم نہیں چاہتیں۔ اگر میں ملنے بھی گیا تو تم نہ مل سکو گی۔

میں موقع پا کر تمہاری سہیلی سے ملنے گیا۔ میرے اصرار پر اس نے بتایا کہ تم مجھے پسند نہیں کرتیں۔ تم اکثر میرا مذاق اڑایا کرتی ہو۔ مجھے حیرت ہوئی اور یقین نہ آیا۔ جب میں نے بہت زور دیا تو اس نے ایک پروگرام بنایا کہ وہ اگلے روز تمہیں اور کئی اور لڑکیوں کو چاء پر بلائے گی' دانستہ طور پر میرا ذکر چھیڑا جائے گا اور مَیں چُھپ کر سب کچھ اپنے کانوں سُن لوں گا۔

اگلے روز میں نے سب کچھ سنا۔ تمہاری سہیلی کے پاس میری ایک تصویر تھی جو اس نے تم سے لی تھی۔ اس تصویر پر تبصرے ہونے لگے۔ تم نے میرے متعلق نہایت سخت الفاظ کہے کہ میں اجتماع ضدّین ہوں' مجھے کوئی نہیں سمجھ سکتا۔ میں ہرجائی ہوں' آوارہ گرد ہوں' جہاں اس قدر اکھڑّ ہوں' وہاں کبھی کبھی اتنا جذباتی بن جاتا ہوں کہ دوسروں کو پریشان کر دیتا ہوں۔ میں بالکل معمولی سا لڑکا ہوں' بالکل نکمّا۔ اسی قسم کی بہت سی باتیں کیں۔ میں نے شیشوں کی اوٹ سے دیکھا۔ تمہارے ہاتھ میں میری تصویر تھی' لبوں پر وہی زہر بھری مسکراہٹ اور آنکھوں میں نفرت تھی۔ تم اس وقت ایسے اجنبی کا ذکر کر رہی تھیں جس سے تمہیں شدید نفرت تھی' جسے تم بالکل نہیں جانتی تھیں۔

کسی اور کے منہ سے یہ سُن کر مجھے ہرگز افسوس نہ ہوتا' لیکن تمہارے لبوں سے یہ الفاظ سن کر مجھے اپنے آپ سے نفرت ہو گئی۔ میں نے اس وقت کو کوسا جب تمہیں پہلی مرتبہ دیکھا تھا۔ تمہارے ہرجائی کہنے پر مجھے ہرجائی بننے کا خیال آیا۔ میں نے تمہاری سہیلی کی بڑی تعریفیں کیں' ہونٹوں کی' رخساروں کی' زلفوں کی —— اور

شاید اسے میں کچھ پسند بھی تھا۔ میں نے اس دو تین روز کے قیام میں تمہیں بھلانے کی کوشش کی اور واپس آ کر ان لڑکیوں کو خط لکھے جن سے محض تمہاری وجہ سے خط و کتابت بند کر دی تھی۔

کچھ دنوں کے بعد میں اور بھی دُور چلا گیا جہاں تنہائی کئی گنا زیادہ تھی۔ دلدوز وحشت تھی، ویرانیاں تھیں، ظلمتیں تھیں۔ پرانی یادیں دفن ہو گئیں۔ کچھ دنوں کے لیے زندگی دفن ہو گئی۔

عرصے کے بعد واپس لوٹا۔ سٹیمر کے لمبے سفر کے بعد ایک ایسی جگہ اُترا جہاں باغ ہی باغ تھے۔ بہار ابھی نہیں آئی تھی۔ وہ جگہ کچھ ایسی خوشنما بھی نہیں تھی اور میں مسرور بھی نہیں تھا پھر بھی جب میں آوارہ پھر رہا تھا تو ٹہنیوں میں نئی نئی کونپلیں دکھائی دے رہی تھیں۔ کملائے ہوئے پھولوں پر نہ جانے اتنی ساری تتلیاں کہاں سے آ گئی تھیں۔ پنکھے کی شکل جیسے پتّوں والے لمبے لمبے درخت ہوا میں جھوم رہے تھے۔ سمندر پر اجلے اجلے آبی پرندے اُڑ رہے تھے۔ ان کی سیٹیاں فضا میں گونج رہی تھیں۔ سمندر بالکل پُر سکون تھا۔ دُور افق پر جہاں سمندر اور آسمان ملتے تھے وہاں کی اِکّی دُکی کشتیوں کے بادبان نظر آ رہے تھے۔ آسمان بالکل نیلا اور شفاف تھا۔ کہیں ایک بھی بادل دکھائی نہ دیتا تھا۔ ایک انجانی مسرت میری روح میں سمائی جا رہی تھی۔ میرا دل کہہ رہا تھا کہ ابھی کوئی آیا چاہتا ہے — اور تم مجھے مل گئیں۔ تم نے ہلکا نیلا لباس پہن رکھا تھا، بالکل آسمان کے رنگ کا، سمندر کے رنگ کا۔ تمہارے بالوں میں نیلے پھول لگے ہوئے تھے، تمہارے آویزے آسمانی رنگ کے تھے، گلے میں آسمانی منکوں کا ہار تھا۔ کلائیوں میں دو دو چوڑیاں تھیں آسمانی رنگ کی۔

تم نے بتایا کہ تمہارے ابّا ان دنوں نزدیک ہی ایک جگہ تعینات ہیں۔ تم یہاں چند دنوں کے لیے آئی ہو۔ پھر ان کے پاس چلی جاؤ گی۔ تمہاری امّی باہر گئی ہوئی ہیں اور تمہارے ساتھ تمہارے ننھے بہن بھائی ہیں۔ میرے ہوٹل کے بالکل قریب وہ مکان تھا جس میں تم ٹھہری ہوئی تھیں۔

جب ہم سمندر کے کنارے بیٹھے تھے تو ماضی نے میرے دل کو مسوسنا شروع کر دیا۔ بیتے ہوئے تلخ لمحات ایک ایک کر کے یاد آنے لگے۔ میں نے تم سے کچھ

نہ کہا، بس یونہی خاموش بیٹھا لہروں کو تکتا رہا۔

میں نے تمہاری طرف صرف ایک یا دو مرتبہ دیکھا۔ مجھے اپنے آپ پر اعتماد نہیں تھا۔ اگر کچھ دیر لگاتار تمہارے چہرے کو دیکھتا رہتا تو مسحور ہو کر رہ جاتا۔ تمہارے چہرے سے محبت جھلک رہی تھی، تمہاری آنکھوں میں پشیمانی تھی اور باتوں میں التجا۔ تم مجھے منانے کی کوشش کر رہی تھیں۔ ہم دیر تک بیٹھے رہے۔ شفق پھُولی، سمندر سرخ ہو گیا۔ ذرا سی دیر میں سورج رنگین بادلوں میں چُھپ گیا اور اندھیرا پھیل گیا۔

جدا ہوتے وقت تم نے کہا کہ تمہارے کمرے میں رات کو ہلکی ہلکی سبز روشنی رہتی ہے۔ اس کمرے کا ایک دریچہ سمندر کی طرف کھلتا ہے اور وہاں سے میرا ہوٹل سامنے نظر آتا ہے۔ تم نے یہ بھی کہا کہ رات بھر تم اپنے کمرے میں تنہا ہو گی اور اُداس ہو گی۔

جب میں تمہیں چھوڑ کر واپس آیا تو سمندر سے ایسی آوازیں آرہی تھیں کہ جیسے طوفان آنے والا ہے۔ اور رات کو طوفان آیا۔ مہیب لہریں ساحل سے ٹکراتی رہیں۔ آندھی کے تُند تھپیڑے شور مچاتے رہے۔ آبی پرندوں کی چیخیں سنائی دیتیں رہیں۔ میں نے کھڑکی سے دیکھا کہ تمہارے کمرے میں سبز روشنی ہے اور تم دریچے میں کھڑی ہو۔ میں سیڑھیوں سے اُترا بھی۔ کچھ دور گیا۔ دریچے کے قریب تاریکی میں کھڑا تمہیں دیکھتا رہا۔ پھر واپس لوٹ آیا۔

رات بھر تمہارے کمرے میں روشنی رہی۔ تم بار بار دریچے میں آئیں۔ رات بھر تم نے میرا انتظار کیا۔

اگلے روز مجھے وہاں سے جانا تھا اور میں چلا گیا۔

بعد میں دل کیسا کیسا تلملایا۔ نہ جانے تم مجھ سے کیا کہنا چاہتی تھیں جو تمہیں رات بھر میرا انتظار رہا۔ اگر میرے دل و دماغ میں وہ تلخی اس شدت سے حلول نہ کر جاتی تو میں آسانی سے وہ فقرے بھلا سکتا تھا جو تم نے میرے متعلق کہے تھے۔ شاید تم سہیلیوں کی چھیڑ سے بچنے کے لیے ان کے سامنے جھوٹ موٹ میری برائیاں کر رہی تھیں۔ تمہارے خط نہ لکھ سکنے پر بھی اپنے دل کو بہلانے کے لیے کئی بہانے تراش سکتا تھا۔ شاید تم مجبور تھیں۔ شاید تم پر ایسی بندشیں ہوں جن کا مجھے علم نہیں، لیکن اس رات میں بیتی ہوئی تلخ باتیں دوہراتا اور تم دریچے میں کھڑی میرا انتظار کرتی رہیں۔ کاش

کہ میں کچھ دیر کے لیے سب کچھ بھول جاتا۔ کاش کہ اس رات تمہیں ملنے چلا جاتا۔

ان باتوں کو کافی عرصہ گزر چکا ہے۔ میں تو تمہیں بھول ہی گیا تھا۔ کیا ہوا جو کبھی کبھار ذرا سی یاد آ گئی۔ اور اب اتنے دنوں کے بعد سمندر پار سے تمہارے ابّا کا خط آیا ہے۔ جس میں تمہارا ذکر ہے۔ لکھا ہے کہ تم ہر وقت اداس رہتی ہو۔ بے حد افسردہ رہتی ہو۔ اپنی تعلیم ادھوری چھوڑ کر کبھی کی کالج سے چلی آئی ہو۔ تم نے اپنے سارے مشغلے ترک کر دیے ہیں۔ دن بھر کسی تنہا گوشے میں چپ چاپ بیٹھی کچھ سوچتی رہتی ہو۔ تمہارے چہرے پر اُداسی کچھ اس طرح چھائی ہے کہ کبھی نہیں جاتی۔ مدّتوں سے تم نہیں مسکرائیں۔

شاید میں تمہیں اب بھی یاد آتا ہوں۔ شاید یہ پشیمانی ہے، شاید اب تمہیں میرے خط کا اتنا ہی انتظار رہتا ہے جتنا آج سے کچھ سال پہلے مجھے تمہارے خط کا رہتا تھا۔ شاید وہ تلخیاں تم اب محسوس کر رہی ہو جو میں نے چند سال پہلے محسوس کی تھیں۔

جب سے خط آیا ہے تم بُری طرح یاد آ رہی ہو۔

ایک رات بارش ہو رہی تھی، بوندیں ٹین کی چھت پر ٹپ ٹپ گر رہی تھیں۔ مجھے دارجیلنگ کی وہ ملاقات یاد آ گئی جب ہم دُھند میں گِھرے ہوئے ایک دوسرے کو دیکھتے رہے تھے۔ بالکل ایسی ہی رات تھی۔ اسی طرح بوندیں شور مچا رہی تھیں۔ چند دن ہوئے کلب میں کسی نے پیانو پر وہ دھن چھیڑ دی۔ یہ وہی دھن تھی جو اس رات پہاڑوں سے گھرے ہوئے اس باغ میں سنائی دے رہی تھی جب پہلی مرتبہ تم میری آغوش میں آ گئی تھیں۔ ایک رات میں بل کھاتی ہوئی سڑک پر آ رہا تھا۔ یکایک سامنے کے اونچے پہاڑ کے پیچھے روشنی پھیل گئی اور بڑا سا رُا چاند طلوع ہوا۔ سڑک چاندی کے تار کی طرح چمکنے لگی۔ مجھے وہ لمحے یاد آ گئے جب اسی طرح چاند طلوع ہو رہا تھا اور چمکتی ہوئی سڑک پر تم میرا انتظار کرتے کرتے چلی گئی تھیں۔

تم نے مجھے جس قدر مسرتیں دی ہیں اسی قدر ستایا بھی ہے۔ جہاں زندگی کی حسین ترین چیزوں سے تمہاری یادیں وابستہ ہیں وہاں زندگی کے تلخ ترین اور تاریک

لمحات بھی تمہاری وجہ سے آئے تھے۔ شاید تمہاری فطرت ہی ایسی تھی کہ تم پر کیفیتیں طاری ہوتی تھیں اور یہ کیفیتیں اس طرح بدلتی تھیں کہ تم بھی بدل جاتی تھیں۔ ایسے لمحے آتے تھے جب تم محبت کرتی تھیں اور ایسے لمحے بھی آتے تھے جب یہ محبت اجنبیت میں بدل جاتی تھی اور پھر نفرت میں، لیکن جب تم نے محبت کی ہے شدید طور پر کی ہے۔ اس شدّت سے کی ہے کہ مجھ پر محبت کی بارش ہونے لگی، محبت نے مجھے محیط کرلیا۔

اور وہ تمہاری شوخ مسکراہٹ، یوں معلوم ہوا کرتا جیسے تمہارے روئیں روئیں میں زندگی رچ گئی ہے۔ تمہارے چہرے سے زندگی کی کرنیں پھوٹتی تھیں۔ تم خود زندگی تھیں۔ سب سے پیارا تو وہ ننھّا سا تِل تھا جو تمہارے لبوں کے گوشے پر تھا۔ اس تِل میں بلا کی دلکشی تھی اور پھر وہ تمہارے لبوں کا عجیب سا تناؤ، جیسے ہر وقت مسکرا رہے ہوں۔

مدّتوں تم نے میرے خیالات کو بسایا ہے۔ مدتوں تم میری کائنات پر چھائی رہی ہو۔ میں نے لق ودق صحراؤں میں ریت کے سنہری ٹیلوں پر تمہارا نام لکھا ہے۔ میں نے سمندر کے کنارے سنگریزوں سے تمہارا نام لکھا ہے۔ بلندیوں پر نئی نئی گری ہوئی ملائم برف پر تمہارا نام لکھا ہے۔ جھیلوں میں تیرتے ہوئے کنول کے پھولوں کو اس طرح ترتیب دیا کہ تمہارا نام پڑھا جاتا تھا۔ میں نے لپکتے ہوئے شعلوں کی چنگاریوں سے تمہارا نام لکھا ہے۔

آج تک میں نے تمہیں کوئی خط نہیں بھیجا۔ کچھ دنوں سے میرا جی چاہ رہا ہے کہ تمہیں ایک خط لکھوں۔ نہ جانے اسے تمہیں بھیجوں گا بھی یا نہیں۔ اگر میں نے اسے لکھ کر پھاڑ دیا تو جو اِتنے پچھتاوے آرہے ہیں ان میں ایک اور کا اضافہ ہو جائے گا۔

منزل

ہم محاذ پر جا رہے تھے۔ ہمیں بندرگاہ سے رات کی تاریکی میں جہاز پر سوار کیا گیا اور اندھیرے میں جہاز نا معلوم منزل کو چل پڑا۔ باوجود انتہائی کوشش کے کسی کو پتہ نہ چل سکا کہ ہمیں کس محاذ پر اور کون سے حصے میں بھیجا جا رہا ہے۔

جہاز میں امریکن، انگریز، کینیڈین، آسٹریلین، ہندوستانی، سب ملے جلے تھے۔ سمندر میں خطرہ تھا اس لیے جہاز کی رفتار سُست تھی۔ رُک رُک کر چلتا، بعض اوقات رات بھر ٹھہرا رہتا۔ رات بھر جہاز پر مکمل تاریکی رہتی۔ کسی قسم کی روشنی کی اجازت نہیں تھی۔ ہمارا زیادہ وقت خاموش بیٹھے رہنے اور سوچنے میں گزرتا۔ ایک تھکاوٹ سی، پژمردگی سی، سب کے چہروں پر چھائی رہتی۔ باتیں ہوتیں تو منزل کے متعلق قیاس آرائیاں کی جاتیں۔ گفتگو کے دوران دفعتاً ہمیں محسوس ہوتا کہ سب موضوع ختم ہو چکے ہیں۔ ہماری باتیں بے ربط ہیں، بے معنی ہیں۔ ہم باتوں سے اُکتا جاتے، رفاقت سے اکتا جاتے اور وقت گزارنا مشکل ہو جاتا۔

میں عرشے پر بیٹھا سگریٹ پی رہا تھا، صبح سے شاید یہ پچاسواں سگریٹ تھا۔ قریب دو شخص بیٹھے باتیں کر رہے تھے۔ ہاتھوں میں گلاس تھے اور میز پر بیئر کی بوتلیں۔ ایک کی گود میں طالسطائی کی 'جنگ اور امن' رکھی تھی۔

"کہا جاتا ہے کہ محاذ پر جانے میں ایک عجیب سا لطف محسوس ہوتا ہے۔ ایک عجیب سا ہیجان زندگی کے جمود میں ہلچل مچا دیتا ہے۔ تب شخصیت کے دو حصے ہو جاتے

ہیں۔ ایک تو خاموش اور مدلّل شخصیت اور دوسری نڈر اور جاں باز شخصیت۔ کیوں؟"

"میری زندگی کا زیادہ حصہ لڑنے میں گزرا ہے، لیکن مجھے لطف کبھی نہیں آیا۔ ہیجان ضرور محسوس ہوا، لیکن یہ ہیجان خوشگوار نہیں تھا۔ میدانِ جنگ میں پہلی گولی پر سب کے چہرے زرد پڑ جاتے ہیں۔ نئے نئے سپاہیوں کے بھی اور ان کے بھی جن کے سینے تمغوں سے بھرے ہوئے ہوں۔ گولیوں کی بوچھاڑ کے ساتھ ساتھ حادثے شروع ہو جاتے ہیں۔ جنگ میں زندگی، موت، بہادری، بزدلی، رحم اور ظلم—— سب حادثوں پر موقوف ہے۔"

"لیکن تقدیر——"

"اس کا پتہ نہیں۔ اب میرے پاس دلیری کے چھ اعلیٰ ترین اعزاز ہیں۔ پچھلی جنگ میں مَیں ہوا باز تھا اور مجھ جیسا نڈر آس پاس ملنا محال تھا۔ میں نے پہاڑوں سے ہوائی جہاز ٹکرائے، سمندروں میں گرا، بھڑکتے ہوئے شعلوں میں کُودا، کئی کئی دنوں کے بعد ملبوں کے نیچے سے زندہ نکل آیا۔ بیسیوں ہوائی جہاز توڑے، لیکن ذرا سی خراش نہیں آئی۔ چُھٹی پر گھر گیا تو اتفاق سے ایک چھلکے پر میرا پاؤں پھسلا اور میں نے اپنی ٹانگ توڑ لی۔ مہینوں بستر سے نہیں اُٹھ سکا، بلکہ مرتے مرتے بچا۔"

"اتفاق اور قسمت کے درمیان لکیر کھینچنا بہت مشکل ہے۔"

"لیکن یہ قسمت نہ تھی، حادثہ تھا۔ محض حادثہ۔ قدرت بہت لاپرواہ ہے۔ اور اگر محض ایک شخص لاکھوں انسانوں کی قسمت بدل سکتا ہے تو وہ قسمت ہی کیا ہوئی۔ بڑی بڑی جنگوں میں ایک انسان یا چند گنے گنائے انسان دنیا کو تہس نہس کر کے رکھ دیتے ہیں۔ یہی تقدیریں یوں چٹکی میں بدل جاتی ہیں۔ مجھے دو فقروں سے بڑی چڑ ہے۔ ایک تو یہ کہ قسمت میں یونہی لکھا تھا——اور دوسرے یہ کہ جو کچھ ہوا بہتری کے لیے ہوا——یہ طفل تسلیاں ہیں، لیکن بے حد عام طفل تسلیاں، ایک وقت تھا کہ میں انجینئر بننا چاہتا تھا، لیکن نہ بن سکا۔ یہ قسمت میں نہیں لکھا تھا۔ اپنی ناقابلیت اور لاپروائی سے میں نے خود اپنی قسمت میں لکھوایا اور یہ بہتری کے لیے بھی نہیں ہوا۔ میں نے ایسے موقعوں پر دعائیں مانگیں جب سچ مچ ضرورت مند تھا۔ کئی مرتبہ دعائیں مانگیں جب مجھے معجزوں کی ضرورت تھی——لیکن کبھی کچھ نہیں ہوا۔ سوائے اس کے کہ میرے

دل کو وقتی طور پر اطمینان سا ہو گیا۔"

"پتہ نہیں کیوں مجھے دعا پر اعتقاد ہے۔ کوئی پوشیدہ قوت ضرور ہے جو ہماری زندگی پر حاوی ہے۔ یہ طاقت خواہ کسی قسم کی ہو، مگر ہے ضرور۔ ورنہ یہ اتنا بڑا نظام خود بخود وجود میں نہیں آسکتا تھا۔ تخلیق کر لو، مجھے تم گھاس کا ایک تنکا یا ننھا سا پھول تو تخلیق کر کے دکھا دو۔ اسی قوت کو خدا کہا جا سکتا ہے۔ اور اگر خدا ہے تو دعا بھی ہے۔ میں تو یہ بھی مانتا ہوں کہ دعا سے حالات بدل جاتے ہیں۔ ایک مرتبہ مجھے ایسی پہاڑی عبور کرنی پڑی جسے دشمن نے گھیر رکھا تھا۔ میرے زندہ بچنے کا کوئی امکان نہ تھا۔ میں نے دعا مانگی کہ اگر بچ گیا تو دنیا کے سامنے پکار پکار کر کہوں گا کہ خدا موجود ہے اور دعائیں قبول ہوتی ہیں۔ میں زندہ ہوں اگرچہ میں نے اپنا وعدہ پورا نہیں کیا۔"

"مگر سپاہی کا دعا سے کیا تعلق؟ سپاہی تو صرف لڑتا ہے۔ دشمن بھی لڑتا ہے۔ اگر وہ تمہارا دشمن ہے تو تم اس کے دشمن ہو— دشمن بھی وہی دعا مانگتا ہے جو تم مانگتے ہو۔ خدا کس کی دعا سنے کس کی نہ سنے؟ اور پھر اس وسیع کائنات میں ایک انسان کس قدر حقیر ہے؟ یہاں کتنے نظامِ شمسی ہیں، کتنے سورج ہیں، کتنے چاند ہیں، کتنے سیارے ہیں جو آباد ہیں۔ دنیا کتنی چھوٹی ہے اور اس میں ایک انسان کس قدر کم مایہ ہے؟ میں تو یہ بھی نہیں مانتا کہ انسان مرنے کے بعد پھر زندہ ہو گا۔ یہ خیال کس قدر عجیب ہے۔ اگر دوبارہ جلانا ہی ہے تو مارنے میں کیا تک ہے؟ بھلا کیا ضرورت ہے کہ اتنے سارے مرحوم پھر زندہ کیے جائیں؟ انسان جو ایک دوسرے کی زبان نہیں سمجھ سکیں گے۔ جن کی زندگیوں میں کئی کئی ہزار سال کا وقفہ ہو گا۔ جو ایک دوسرے کے لیے اجنبی ہوں گے۔ اتنی مخلوق کو اکٹھا کہاں کریں گے، ان سب کا بنے گا کیا؟"

"تم کچھ بدل گئے ہو۔ ہم پچھلی مرتبہ ملے تو تمہارے خیالات مختلف تھے۔"

"میں بدلا تو نہیں، البتہ اب میں کسی چیز کی زیادہ پروا نہیں کرتا۔ نہ کسی سے توقع رکھتا ہوں، نہ ضرورت سے زیادہ امیدیں، نہ عبادت کرتا ہوں نہ دعا مانگتا ہوں۔ میں نے زیادہ سوچنا بھی چھوڑ دیا ہے۔ سوچنا شروع کرتا ہوں تو فوراً کسی مفید کام میں مشغول ہو جاتا ہوں یا پینے لگتا ہوں۔"

"اب وہسکی بھی تو اچھی نہیں ملتی۔ مدت سے اچھی وہسکی نہیں چکھی۔

میرے پاس چند بکس نہایت بڑھیا قسم کی بوتلوں کے رکھے ہیں، لیکن اس کے لیے تمھیں سکاٹ لینڈ کے شمالی سرے تک پہنچنا ہوگا۔ لڑائی کے اختتام پر تم آنا۔ ہم جشن منائیں گے۔ رات بھر کلب میں تاش کھیلا کریں گے، رقص کیا کریں گے، پیا کریں گے اور دن بھر سویا کریں گے۔ تمام گھڑیوں اور کیلنڈروں کو کہیں چھپا دیں گے، اخباروں کو جلا دیں گے۔"

"یا پھر لمبی سی چھٹی لے کر آوارہ گردی کے لیے نکل جائیں گے، نہ کوئی پروگرام ہوگا نہ کسی کو بتائیں گے کہ کہاں جا رہے ہیں۔ بس جو جگہ پسند آگئی وہیں قیام ہوگا۔ جب جی بھر گیا تو پھر نکل کھڑے ہوئے۔"

"کیسے دن ہوں گے وہ بھی۔ تم مجھے میرے گھر کے پتے پر خط لکھنا، میں تمہارا انتظار کروں گا۔ تو پھر وعدہ رہا۔ محاذ سے واپسی پر ہم ضرور ملیں گے——"

"ہاں ضرور ملیں گے۔ لیکن پتہ نہیں کب؟ اگر واپس آئے تو——"

دفعتاً مسکراتے ہوئے چہرے زرد پڑ گئے۔ دونوں کی نگاہیں ایک لمحے کے لیے ملیں پھر اِدھر ادھر بھٹکنے لگیں۔ فوراً نئی بوتلیں کھولی گئیں۔ گلاس بھرے گئے۔ دونوں خاموشی میں پینے لگے۔

رات کا اندھیرا گہرا ہو چلا تھا۔ بڑی تیز ہوا چل رہی تھی۔ جہاز ہچکولے کھا رہا تھا۔ میں کٹہرے سے لگا ہوا کھڑا تھا۔ یکایک کوئی قریب سے گزرا۔ ہم نے ایک دوسرے کو دیکھا اور فوراً پہچان لیا۔ وہ خاکی لباس پہنے ہوئے تھی۔ چند سال پہلے کی شناسا، جو کبھی نہایت شوخ وشنگ اور مغرور لڑکی تھی، جسے احساس حسن انتہائی حد کا تھا۔ وہاں کوئی ایسا لڑکا نہ ہوگا جسے کچھ دنوں اس کا خبط نہ رہا ہو۔

میں نے اسے غور سے دیکھا، اس کی آنکھوں میں اداسی چھلک رہی تھی۔ ہم باتیں کرنے لگے۔ گزرے ہوئے لمحوں کی باتیں۔ ماضی حال اور مستقبل کی باتیں۔

"یہ تمہاری باتوں میں پختگی کہاں سے آگئی، شریر لڑکے؟ یہ سنجیدگی تمھیں کون دے گیا؟"

"اور تمھیں یہ حُزن کس سے ملا؟ تم تو پارے کی طرح بے قرار تھیں۔ مچلتی

ہوئی، تڑپتی ہوئی حسینہ، پہلی مرتبہ میں نے تمہیں اس روپ میں دیکھا ہے۔"

"میں اداس ہوں۔"

"بیتی ہوی گھڑیاں یاد آ رہی ہیں یا وہ پرانے بد نصیب عاشق جو سچ مچ بد نصیب تھے اور سدا نامُراد رہے۔"

"جانتے ہو؟ کچھ دن مجھے تم بھی اچھے لگے تھے، لیکن فقط چند دنوں کے لیے۔"

"اچھا کیا تم نے پہلے نہیں بتایا ورنہ نہ جانے میں کیا کرتا۔"

"تمہاری ایک ادا بھا گئی تھی، مسکراتے مسکراتے یکلخت جو سنجیدہ ہو جایا کرتے تھے وہ۔ جیسے ابھی تم ایک دم سنجیدہ ہو گئے ہو۔ شاید میں تمہیں دوبارہ پسند کرنے لگوں، چلو اوپر چلیں۔"

اس نے میرا بازو تھام لیا۔ سیڑھیاں چڑھ کر اوپر پہنچے جہاں ہوا بہت تیز تھی۔ جنگلے پر کہنیاں ٹیک کر سمندر کی لہروں کو دیکھنے لگے جو رہ رہ کر جہاز سے ٹکراتی تھیں۔

"اور تمہارے اس پُختہ عُمر کے عاشق کا کیا بنا، یاد ہے نا تمہیں؟ کہاں ہے وہ آج کل؟"

"پتہ نہیں——بہت دنوں سے اس کے متعلق نہیں سنا۔"

"وہ تم پر کس قدر فریفتہ تھا۔ بس تمہیں دیکھ دیکھ کر جیتا تھا اور تم بے چارے کا مضحکہ اڑایا کرتیں کہ اس عمر کے عاشق نہایت بے وقوف ہوتے ہیں۔ بالکل بچے بن جاتے ہیں۔ جو مانگو لا دیتے ہیں۔ ذرا سی بات پر خوش ہو جاتے ہیں۔ تم دوسری لڑکیوں کو بھی یہی مشورہ دیا کرتیں کہ وہ لڑکوں کو چھوڑ کر ایسوں کی طرف متوجہ ہوں۔"

"وہ نہایت مخلص تھا۔"

"لیکن تم تو کہا کرتی تھیں کہ تمہیں صرف اس کی دولت سے دلچسپی تھی۔ اس کی قیمتی کار سے دلچسپی تھی۔ فقط اس کے قیمتی تحفے پسند تھے۔ تم اور عاشقوں کو چھوڑ کر اس کے ساتھ اس لیے جایا کرتیں کہ وہ تمہیں شام کو بہتر رقص گاہ میں لے جایا کرتا۔"

وہ خاموشی سے تاریکیوں میں دیکھتی رہی۔ اس نے اپنا سر میرے شانے سے

لگادیا۔ ”میں غمگین ہوں۔“

”سچ بتانا کبھی وہ یاد بھی آتا ہے؟ مجھے اس پر بڑا ترس آیا کرتا تھا۔ میں نے سنا تھا کہ اس نے تم سے شادی کے لیے کہا تھا اور تم ٹال مٹول کر گئیں۔ وہ تمہارے لیے سب کچھ کرنے کو تیار تھا۔“

”ان دنوں وہ مجھے بالکل پسند نہ تھا‘ لیکن اب نہ جانے کیوں یاد آ رہا ہے۔ میں ہمیشہ خود غرض رہی ہوں۔ میں نے آج تک کسی سے محبت نہیں کی۔ محبت‘ خلوص‘ دوستی‘ سب کا مذاق اڑایا‘ لیکن اب محسوس ہو رہا ہے کہ جتنے مرد میری زندگی میں آئے وہ ان سب سے پُرخلوص تھا‘ صرف اسی کو مجھ سے محبت تھی۔“

”تم بھول گئیں کہ کچھ روز مجھے بھی تم سے محبت رہی ہے۔“ میں نے اُسے چھیڑا۔

”یاد ہے اور یہ بھی یاد ہے کہ تم نے ایسی تاریکی میں مجھ سے پوچھا کہ اگر میں تمہیں چُوم لوں تو مجھے کیا سزا دو گی۔“

”اس میں میرا قصور نہیں تھا۔ تم اتنی پیاری معلوم ہو رہی تھیں کہ بس۔“

”تم اب مجھے چوم سکتے ہو اور میں تمہیں کوئی سزا نہ دوں گی۔“

”لیکن میری تمنا تو اس مسکراتے ہوئے شریر چہرے کو چومنے کی تھی‘ اس اداس چہرے کو نہیں۔“

”اچھالو۔“ وہ مسکرانے لگی۔ ”بس؟“

مہیب لہریں زور سے ٹکراتیں اور پھوار پھیل جاتی۔ ہوا تُند ہوتی جا رہی تھی۔ ہچکولے بڑھتے جا رہے تھے۔

”جب وہ آخری مرتبہ مجھے رخصت کرنے آیا تو کس قدر رنجیدہ تھا۔ اس کے چہرے پر کیسا کرب تھا۔ اس کی غمزدہ نگاہیں مجھے نہیں بھولتیں۔ وہ بالکل خاموش تھا اور میں جُھوٹے سچے وعدے کر رہی تھی‘ وہ یقین کر رہا تھا۔ اس وقت میرے دل میں اس کے لیے محبت تھی نہ ترس تھا اور اب نہ جانے وہ اتنا کیوں یاد آ رہا ہے؟ پتہ نہیں کچھ دنوں سے مجھے کیا ہو گیا ہے؟ ہر وقت میری آنکھوں کے سامنے اس کا محزون چہرہ رہتا ہے۔ شاید اس لیے کہ بڑھاپے کے تصور نے مجھے چونکا دیا ہے۔ کل میں نے اپنے سر

میں ایک سفید بال دیکھا، پہلا سفید بال! شاید اس لیے کہ میں تنہا ہوں۔ میرے دل پر خوف مسلط ہے اور روح پر گہری اداسی طاری ہے۔ زندگی بھر کبھی اپنے آپ کو اس قدر تنہا محسوس نہیں کیا — مجھے اپنے بازوؤں میں چھپالو۔ پرانے دنوں کا واسطہ دیتی ہوں — میں بہت غمگین ہوں، بہت اداس ہوں۔"

اس کی آنکھوں سے آنسو بہنے لگے۔

ایک بڑا کیبن مریضوں کے لیے مخصوص تھا۔ میں کسی سے ملنے گیا۔ شام کے دھندلکے نے مریضوں کے چہروں کو اور بھی اداس بنادیا تھا۔ بے قرار آنکھیں خلا میں تک رہی تھیں۔ کیبن میں مکمل خاموشی تھی۔ دفعتاً ریڈیو پر جاز کی گت بجنے لگی، یہ گت جیسے اپنے ساتھ زندگی کا پیغام لے آئی۔ ہونٹ مسکرانے لگے، آنکھیں چمکنے لگیں، تال پر سر ہلنے لگے اور باتیں شروع ہو گئیں۔

"ریڈیو پر سب سے پھیکا پروگرام خبروں کا ہوتا ہے۔ خبریں شروع ہوتی ہیں تو میں ریڈیو بند کر دیتا ہوں۔ آج صبح ریڈیو پر ایک نام بار بار سنا جس سے مجھے اپنے استاد یاد آگئے۔ ان کی کنجوسی مثالی تھی۔ مشہور تھا کہ وہ اپنی عینک کے شیشوں میں سے اس لیے نہیں دیکھتے کہ استعمال کرنے سے کہیں شیشے گِھس نہ جائیں۔ شادی ہوئی تو اپنا ہنی مُون منانے کے لیے اکیلے گئے تھے کہ اخراجات کم آئیں۔ ان کا دل آئس کریم کی طرح سرد تھا۔ خود فراموشی کا یہ عالم تھا کہ گھنٹوں آئینے کے سامنے کھڑے ہو کر یاد کرنے کی کوشش کیا کرتے کہ اس شبیہہ کو پہلے کہیں ضرور دیکھا ہے۔ وہ بیس سال سکول کے ہیڈ ماسٹر رہے۔ جب وہ سکول کالج بنا تو یونیورسٹی نے کسی اور کو پرنسپل بنادیا۔ انہوں نے نہایت سخت الفاظ میں شکایت کی، اپنے بیس سالہ تجربے کا حوالہ دیا۔ اوپر سے جواب آیا اسے بیس سالہ تجربہ ہر گز نہیں کہا جاسکتا، یہ ایک سالہ تجربہ ہے بیس مرتبہ۔"

"اور ہمارے ایک استاد تھے جو اس قدر چالاک تھے کہ جب کبھی میں ان سے ہاتھ ملاتا تو ملانے کے بعد اپنی انگلیاں گنا کرتا۔ ایک مرتبہ میرے چچا کا ان سے تعارف کرایا گیا۔ جب انہیں معلوم ہوا کہ چچا ڈاکٹر ہیں تو پوچھا۔ جگر کے ضعف کا کیا علاج ہو سکتا ہے؟! انہیں بتایا گیا کہ چچا طب کے ڈاکٹر نہیں فلسفے کے ڈاکٹر ہیں تو اسی انداز میں بولے۔

تو پھر نطشے کے متعلق آپ کی کیا رائے ہے؟ ہم چند لڑکے ان سے بہت تنگ آئے ہوئے تھے۔ اتوار کو ہم ان کے مکان کے سامنے کھڑے ہو کر اوپر کھڑکیوں کی طرف دیکھنے لگتے۔ راستہ چلنے والوں میں سے کچھ ٹھہر جاتے اور اوپر دیکھنا شروع کر دیتے۔ ذرا سی دیر میں پورا ہجوم اکٹھا ہو جاتا اور ہم کھسک جاتے۔ پروفیسر صاحب کھڑکی سے ہجوم کو بڑے غور سے دیکھتے رہتے' ادھر ہجوم انہیں دیکھتا رہتا کہ ابھی کچھ ہونے والا ہے۔"

"میں بڑا ہو نہار لڑکا تھا۔" ایک طرف سے آواز آئی۔ "بڑا ذہین اور محنتی' لیکن ایک چیز نے مجھے کالج سے دور رکھا۔ وہ چیز تھی ہائی سکول—— جہاں سے میں کبھی نہ نکل سکا۔ شاید میں ہائی سکول پر عاشق ہو گیا تھا۔ ہمیں فارم کا کام بھی سکھایا جاتا۔ فارم میں بہت سی گائیں تھیں۔ ایک دفعہ پانی کی قلت سے سب کچھ سوکھ گیا۔ گائیں سبز چارے کی عادی تھیں' بھوکی رہنے لگیں۔ یکایک ہمیں کچھ سُوجھ گیا۔ شہر سے سبز رنگ کے بڑے بڑے چشمے بنوائے اور علی الصبح گایوں کی آنکھوں پر چڑھا دیے۔ اس طرح کہ گر نہ سکیں۔ شام کو چشمے اُتار دیئے جاتے۔ گایوں کو جو چاروں طرف ہرا ہی ہرا نظر آیا تو سوکھی گھاس اس رغبت سے کھانے لگیں کہ سب حیران رہ گئے۔ پھر دیکھتے دیکھتے ہمارے گھر کے سامنے جو درخت تھے ان میں عجیب و غریب پھل لگنے لگے۔ سنگترے کے درخت میں سیب لگے ہوئے ہیں۔ سیب کے درخت میں خربوزے لٹک رہے ہیں اور یوکلپٹس کی ٹہنیوں میں کیلے۔ یہ ہماری کارروائی ہوتی۔ سڑک پر اتنا ہجوم اکٹھا ہو جاتا کہ چوک کا سپاہی انہیں منتشر کیا کرتا۔"

"اور میں کلب کی بار پر متعین تھا۔ لوگ صبح سے شام تک پیا کرتے اور شام سے صبح تک۔ کئی حضرات صبح سے اگلی صبح تک مشغول رہتے۔ ایسے لوگوں کے لیے ایک چھوٹا سا کمرہ خاص طور پر بنوایا گیا تھا۔ اس طرح کہ چھت میں قالین چپکا کر الٹی میز کرسیاں فٹ کروائی گئی تھیں۔ فرش میں ایک پنکھا اور کچھ بلب لگے ہوئے تھے جن کا رخ اوپر کی طرف تھا۔ دروازوں کی جگہ روشن دان تھے اور روشن دانوں کی جگہ دروازے' غرضیکہ کمرہ بالکل الٹا بنایا تھا۔ جب کوئی آپے سے باہر ہو جاتا تو اسے اس کمرے میں چھوڑ دیا جاتا اور سب چُھپ چُھپ کر دیکھتے۔ اس کی تصویریں بھی لی جاتیں۔ جب اسے کمرہ الٹا دکھائی دیتا تو وہ آنکھیں بند کر کے سونے کی کوشش کرتا۔ اس خیال

سے کہ ابھی نشہ باقی ہے۔ پھر اسے یہ احساس بھی ہوتا کہ وہ چھت میں معلق ہے۔ ایک آنکھ کھول کر اِدھر اُدھر دیکھتا پھر لیٹ جاتا۔ فرش تک پہنچنے کے لیے بہتیری چھلانگیں لگاتا، دیوار کو پکڑ کر چڑھنے کی، یعنی اپنی طرف سے نیچے اترنے کی کوشش کرتا۔ کافی دیر خوار کر کے غریب کو باہر نکالا جاتا۔ اس شرط پر کہ کسی اور سے نہیں کہے گا۔ ویسے میرا کام بالکل بیہودہ سا تھا۔ گاہکوں سے لگاتار مغز مارنا، ان کی نگرانی کرنا۔ ایک شخص پیے ہوئے میرے پاس آیا۔ اس کے ہاتھ میں ایک تار تھا جو اس کی منگیتر کے نام تھا۔ اس نے بتایا کہ اگر یہ تار اسی وقت نہ بھیجا گیا تو منگنی ٹوٹ جانے کا اندیشہ ہے۔ تار کے الفاظ یہ تھے— میاؤں، میاؤں، میاؤں، میاؤں اور پھر میاؤں— میں نے اسے بتایا کہ اسی لاگت پر وہ ایک اور لفظ شامل کر سکتا ہے۔ کچھ دیر سوچنے کے بعد اس نے مجھ سے پوچھا کہ کون سا لفظ شامل کیا جائے؟ میں نے بتایا کہ کیوں نہ ایک اور میاؤں لکھ دی جائے۔ وہ سر ہلا کر بولا۔ ایک اور میاؤں؟ ہرگز نہیں۔ کسی اور نے تار پڑھ لیا تو کیا کہے گا۔

وہاں پارٹیاں بھی ہوتیں۔ شروع شروع میں نہایت سنجیدہ باتیں ہوتیں۔ بعد میں پی پی کر لوگ اور بھی سنجیدہ ہو جاتے۔ ایک صاحب اپنے سامنے بیٹھی ہوئی خاتون کی گردن میں چمچے سے آئس کریم ڈال رہے ہیں اور وہ ہیں کہ چپکی بیٹھی الٹا اخبار پڑھ رہی ہیں۔ ایک صاحب اپنے سامنے رکھی ہوئی خالی کرسی سے بڑے زوروں میں بحث کر رہے ہیں کہ جنوبی امریکہ سیاست بلقان کی سیاست سے کسی قدر مختلف ہے۔ ایک صاحب کو یقین ہو گیا کہ وہ خرگوش ہیں، چنانچہ وہ ایک کونے میں دبکے ہوئے ہیں۔ ایک صاحب بار بار لیٹر بکس میں سکہ ڈال کر کلاک کی طرف دیکھتے ہیں اور منہ بنا کر کہتے ہیں۔ افوہ! میرا وزن پہلے سے کتنا کم ہو گیا ہے۔ ایک دندان ساز کو جوش آیا تو جیب سے زنبور نکال کر اپنی بیوی کی سہیلی کے دو دانت کھینچ کر اپنی جیب میں ڈال لیے۔"

یکایک کسی نے اندر آ کر بتایا کہ ساحل نظر آ رہا ہے۔ باتیں ختم ہو گئیں۔ قہقہے بند ہو گئے۔ کیبن کے سوراخوں سے سب باہر جھانکنے لگے۔ دور اُفق پر ایک مٹیالی دھندلی سی لکیر نظر آ رہی تھی، جیسے سمندر سے شروع شروع میں ساحل نظر آیا کرتا ہے۔ یقیناً یہ ساحل ہی تھا۔ شاید یہی ہماری منزل تھی۔ جہاز تیزی سے اس سمت میں جا رہا تھا۔ وہ لکیر نمایاں ہوتی گئی۔ کسی کے ہونٹوں سے ایک لفظ تک نہ نکلا، ایک آنکھ بھی

نہ جھپکی۔ سب خاموشی سے اس لکیر کو دیکھ رہے تھے۔ ہمارے دیکھتے دیکھتے وہ لکیر بادلوں میں تحلیل ہو گئی۔ کچھ دیر بعد ہم ان ہی بادلوں میں سے گزرے۔ اب ہمارے سامنے وہی پرانا افق تھا' وہی بھورا آسمان اور وہی موجیں مارتا سمندر۔ باتیں دوبارہ شروع ہوئیں لیکن پھیکی معلوم ہونے لگیں۔ مسکراہٹیں غائب ہو چکی تھیں۔ آنکھیں اداس ہوتی گئیں اور دفعتاً محسوس ہوا کہ بستروں میں لیٹے ہوئے مریض اذیت کن تکلیف میں ہیں۔ سورج غروب ہو چکا ہے اور بڑھتے ہوئے اندھیرے کے ساتھ ایک نامعلوم سا خوف عود کر رہا ہے۔

ناشتے پر میرے سامنے بیٹھے ہوئے شخص نے بتایا کہ وہ محاذ پر رضاکارانہ طور پر جا رہا ہے۔ اس نے خود اپنی خدمات پیش کی ہیں۔ وہ پرسکون زندگی سے تنگ آ چکا تھا' اسے ہلچل اور گہما گہمی کی تلاش تھی۔ یوں بھی محاذ پر جانے کے کئی فائدے ہوتے ہیں۔ ترقی کی امید ہوتی ہے' اعزازات ملنے کے امکانات ہوتے ہیں اور پھر وہاں خرچ تو بالکل نہیں ہوتا۔ میں نے اسے راتوں کو اکثر باہر ٹہلتے دیکھا تھا۔ اس کے منہ میں ہر وقت پائپ ہوتا اور چہرے پر عجیب سی وحشت۔

"میں نے پہلے سب کچھ اچھی طرح سوچ لیا تھا پھر خدمات پیش کیں۔ زندگی میں قدم قدم پر میرا یہی وطیرہ رہا ہے۔ اپنے مستقبل کو ہمیشہ پہلے سے ترتیب دیا کرتا ہوں۔ بالکل ریاضی کے اصولوں کی طرح۔ میں کیا ہر شخص اسی طرح کرتا ہے۔ تم بھی تو اسی طرح کرتے ہو گے؟"

"نہیں۔" میں نے سر ہلا کر کہا۔

"نہیں ——؟ تعجب ہے۔ میرے خیال میں تو ہر انسان مستقبل کی تجویزیں سوچتا ہے اور ماضی سے سبق حاصل کر کے اپنی راہ خود بناتا ہے۔ زندگی میں باقاعدگی ہونی چاہیے۔ یونہی اندھا دھند زندہ رہنے کا کوئی فائدہ نہیں۔ مجھے لو' میں نے چلنے سے پہلے سارا روپیہ نکال کر ایسے کارخانوں میں لگا دیا ہے جو جنگ کا سامان تیار کر رہے ہیں۔ جب میں لوٹوں گا تو مجھے دگنی رقم ملے گی۔ بیمے کا سارا روپیہ میں نے واپس لے لیا۔ اگر مجھے کچھ ہو گیا تو خواہ مخواہ بیوی کی فضول خرچی کے لیے اتنی دولت کیوں ملے۔ واپسی پر

میں اس رقم سے کچھ ایسے حصے خریدوں گا کہ کئی گنا فائدہ ہو گا۔ یہ تو کچھ نہیں، میں نے آج سے کئی سال تک ایک ایک مہینے ایک ایک دن کا پروگرام بنا رکھا ہے۔" وہ اپنی زندگی کے پروگرام سناتا رہا۔ میں کافی پیتا رہا۔

"میں نے محاذ پر جانے کا صحیح ترین وقت چنا ہے۔ تم پہلے کبھی محاذ پر گئے ہو؟"

"نہیں۔"

"میں بھی نہیں گیا۔ پتہ نہیں ہم کہاں جا رہے ہیں؟ وہاں کیا حالات ہوں گے؟ دشمن ہم سے کتنی دور ہو گا؟ ہمیں لڑنا ہو گا یا نہیں؟ اتنے دنوں سے میرا وقت ضائع ہو رہا ہے۔ اگر تفصیلات کا پتہ چل جائے تو میں اس کے مطابق تدبیریں سوچنی شروع کر دوں۔"

میں نے اسے بتایا کہ میں اسے راتوں کو پائپ پیتے اور ٹہلتے دیکھا کرتا ہوں۔

"مجھے نیند نہیں آتی۔ فکر نے میرا سکون چھین لیا ہے۔ میرا دماغ کام نہیں کرتا۔ اتنی راتیں جاگ جاگ کر گزار دی ہیں۔ میں بے حد خوفزدہ ہوں۔ میں محاذ پر کبھی نہیں گیا۔"

رات کو ایک امریکن دوست آیا اور مجھے ساتھ لے گیا۔ موم بتی کی روشنی میں کچھ لوگ بیٹھے پی رہے تھے۔ مجھے ایک بوڑھے شخص سے ملایا گیا۔ وہ رپورٹر تھا۔ عمر ساٹھ کے لگ بھگ ہو گی، جوانی میں نہایت وجیہہ ہو گا۔ اس کی باتوں میں ایسی جاذبیت تھی کہ سب اس کی جانب متوجہ تھے۔ میرے دوست نے بتایا کہ وہ اخباری دنیا میں بہت مشہور ہے۔

وہ اپنی زندگی کے قصے سنا رہا تھا۔ "بچپن سے مجھے جہاں گردی کی ایسی لت پڑی کہ اس پر کبھی قابو نہیں پا سکا۔ بچپن کی جتنی یادیں اور جتنے کردار میرے ذہن میں محفوظ ہیں ان سب میں نمایاں ایک معمر شخص کا چہرہ ہے۔ مسکراتا ہوا معصوم چہرہ —— وہ خدوخال مجھے کبھی نہیں بھولتے۔ میں چھوٹا سا تھا کہ اپنے لنگوٹیے دوست کے ہمراہ گھر سے بھاگ نکلا۔ ہماری مختصر سی پونجی بہت جلد ختم ہو گئی۔ پھر ہم راستہ بھول گئے۔ خالی ہاتھوں، بھوکے اِدھر اُدھر پھر رہے تھے کہ ایک بوڑھا شخص مسکراتا ہوا آیا اور پوچھنے لگا کہ دوستو! تم نے آوارہ گردی بہت جلد شروع کر دی۔ کیوں؟ ہم نے اس سے دریافت

کیا کہ آس پاس کوئی ایسی جگہ ہے جہاں سے کچھ چُرایا جاسکے؟ وہ بولا۔ ایک جگہ ہے تو سہی، لیکن پکڑے جانے کا ڈر ہے۔ اگر پکڑے گئے تو جیل جانا ہوگا۔

جیل کے نام پر ہمارے چہرے فق ہوگئے۔ وہ کہنے لگا کہ میں ایک مرتبہ جیل گیا تھا، کچھ ایسی بُری جگہ بھی نہیں، بلکہ کئی گھروں سے اچھی ہے۔

ہم نے کہا اچھا ہمیں ساتھ لے چلو۔ اندھیرے میں پیچیدہ گلیوں سے گزرتے ہوئے ہم ایک دروازے کے سامنے رک گئے۔ وہ دیوار پھاند کر اندر داخل ہوا۔ اندر سے دروازہ کھول کر اس نے اشارہ کیا اور ہم دبے پاؤں اس کے پیچھے پیچھے ہولیے۔ باورچی خانے میں پہنچ کر اس نے کھڑکیاں اور دروازے بند کیے، آگ جلائی اور انڈے تلنے لگا۔ وہ انڈے تل تل کر ہمیں دے رہا تھا اور ہم بے تحاشا کھا رہے تھے، بالکل ندیدوں کی طرح۔ ہم نے اس کا انتظار تک نہیں کیا، حتیٰ کہ انڈے ختم ہوگئے۔ پھر اس نے نعمت خانہ کھول کر میٹھی چیزیں نکال کر دیں۔ دفعتاً باہر آہٹ سنائی دی۔ اس نے ہمیں چپ رہنے کا اشارہ کیا۔ ہم ایک کونے میں دبک گئے۔ آہٹ آنی بند ہوئی اور ہم پھر کھانے لگے۔

وہ بولا، لاؤ میں برتن دھودوں۔ اگر برتن صاف ملے تو کوئی شبہ نہیں کرے گا۔ سب یہی سمجھیں گے کہ کسی بلّی کتّے کی کرتوت ہے۔ میں یہاں اکثر آیا کرتا ہوں۔

ہم اپنی جیبوں میں پھل ٹھونس رہے تھے کہ پھر آہٹ ہوئی۔ اس مرتبہ آہٹ تیز ہوتی گئی۔ دھڑام سے دروازہ کھلا اور ایک ادھیڑ عمر کی موٹی تازی عورت داخل ہوئی۔ ہم دونوں چند لمحے کے لیے بُت بنے کھڑے رہے۔ پھر ایسے سرپٹ بھاگے کہ اس عورت کے بازوؤں کے نیچے سے نکل گئے۔ اس کی تیز آواز ہمیں سنائی دے رہی تھی۔ وہ بوڑھے کو ڈانٹ رہی تھی کہ تم دوسرے مردوں کی طرح کام کاج کیوں نہیں کرتے۔ اچھے خاوند ہو۔ گھر میں دنیا بھر کے لفنگوں جہاں گردوں کو لے آتے ہو۔ چوروں کی طرح آتے ہو اور چوروں کی طرح نکل جاتے ہو۔ تم سے شادی کیا کی زندگی تباہ کرلی۔ بھاگم بھاگ سٹیشن پر پہنچے۔ وہاں ایک مال گاڑی جاتی ہوئی دکھائی دی، لپک کر اس میں سوار ہوگئے۔ تھوڑی سی اور انڈیلنا۔ بس!" اس نے چند گھونٹ لیے اور بتانے لگا: "بچپن میں بڑی مشقت اٹھانی پڑی۔ اخبار بیچ کر، باغوں کھیتوں میں کام کر کے بمشکل تعلیم حاصل کی۔ ارادہ تھا کہ وکیل بنوں گا۔ میں نے قانون پڑھا۔ ان ہی

دنوں ایک بارسوخ امیر شخص کو مجھ سے للہی بغض ہو گیا۔ یہ دشمنی بالکل بلاوجہ تھی۔ بس اسے میری شکل سے نفرت ہو گئی تھی۔ میں پہلی مرتبہ عدالت میں گیا تو اس نے میرا مقدمہ اس طرح خراب کرایا کہ میں بدنام ہو گیا۔ میرے خلاف لوگوں کو ورغلایا' مجھ پر تہمتیں لگائیں۔ یہاں تک کہ میں نے قانون چھوڑ دیا اور وہ شہر بھی چھوڑ دیا۔ ایک تجارتی ادارے میں شریک ہوا' مگر رشوت کے عادی افسر اعلیٰ کی بے جا فرمائشیں نہ پوری کر سکنے پر وہاں سے بھی نکلنا پڑا۔ پھر ملازمت کے لیے امتحان میں بیٹھا۔ جب آخری مقابلے میں پہنچا تو وہاں اتفاق سے پھر اسی شخص سے واسطہ پڑا جو مجھ سے نفرت کرتا تھا' لیکن کچھ دنوں کے بعد ایک پرانے مشفق استاد کا خط ملا۔ انہوں نے یورپ آنے کو کہا تھا اور وعدہ کیا تھا کہ میری ہر طرح مدد کریں گے۔ سفر کے لیے اپنا مختصر اثاثہ فروخت کرنا پڑا۔ بے شمار امیدیں لیے یورپ پہنچا۔ اپنے استاد کے گھر پہنچ کر معلوم ہوا کہ چند دن پہلے ان کا انتقال ہو چکا تھا۔ عرصے تک واپس نہ لوٹ سکا۔ جگہ جگہ بھٹکتا پھرا۔ مدرّس رہا' پہاڑوں میں گائیڈ رہا' دکانوں میں کام کیا' جہازوں پر ملّاح رہا۔ گزشتہ جنگ عظیم میں شریک ہوا۔ کئی مرتبہ زخمی ہوا اور کچھ دیر جنگی قیدی بھی رہا۔ دنیا کا کوئی ایسا گوشہ نہ ہو گا جہاں میں کچھ عرصے کے لیے نہ رہا ہوں۔ مجھے کئی مرتبہ محبت بھی ہوئی' لیکن کسی عورت نے ایسے بے خانماں کو زیادہ دیر نہ چاہا۔ چند لڑکیاں میری خانہ بدوش اور لاابالی طبیعت پر ریجھیں' مگر میری مالی حالت کو دیکھ کر انہوں نے ارادہ بدل دیا۔ کئی بار میں نے کوشش کی کہ یہ آوارہ گردی چھوڑ کر کہیں مستقل طور پر رہائش اختیار کر لوں' لیکن ایسا نہ ہو سکا۔ میں کنوارا ہی رہا۔ میں خوش نصیب ہوں یا بد نصیب؟ اس کا پتہ نہیں' لیکن جب معاملہ قسمت پر پڑا تو اس نے کبھی میرا ساتھ نہیں دیا۔ قسمت نے مجھے لالچ ضرور دیے۔ طرح طرح کی ترغیبیں دیں۔ بس اور کچھ نہیں! میں کسی جگہ کامیاب نہ ہو سکا۔ اس کی وجہ نہیں بتا سکتا۔ ہر نئے کام کے آغاز پر پوری مستعدی اور شوق کے ساتھ اسے شروع کرتا۔ پھر نہ جانے کیا ہو جاتا کہ میری تدبیریں خاک میں مل جاتیں۔ زندگی نے میرے ساتھ جیسا سلوک بھی کیا' لیکن میں نے ہار کبھی نہیں مانی۔ تھوڑی سی اور انڈیلنا۔"

وہ مسکرا رہا تھا اور پی رہا تھا۔ زندگی کی ناکامیاں سناتے وقت اس کے چہرے

پر ایک عجیب سی مسکراہٹ تھی جس میں حُزن اور مسرّت ملے جلے تھے' لیکن جس میں مسکراہٹ کے علاوہ اور کچھ بھی تھا۔ وہ باتیں سناتا رہا اور لمحے گزرتے رہے۔

"مجھے اپنی عمر کا احساس ہے۔ اس سٹیج پر انسان کو عمر رسیدہ کہا جاتا ہے۔ چنانچہ اس وقت میرے پاس عمر بھر کا جمع کیا ہوا مالی اثاثہ ہونا چاہیے جو کہ قطعاً نہیں ہے' لیکن جب میں دنیا سے رخصت ہوں گا تو نہایت بیش قیمت ترکہ چھوڑ جاؤں گا' ایسا ترکہ جو پہلے کسی نے نہیں چھوڑا۔ لو میں تمہیں اپنی وصیت سناؤں۔ سنو۔ میں یہ سارے قوسِ قزح کے رنگ' چمکیلے شوخ و شنگ پھول' رقص کرتی ہوئی تتلیاں' اشارے کرتے ہوئے تارے' کسی دوسری دنیا کی پُر سحر کہانیاں۔ یہ سب بچوں کے لیے چھوڑ جاؤں گا اور ان کے لیے بھی جن میں عمر کوئی تبدیلی نہ لا سکی جو ابھی تک بچّے ہیں۔ اور وہ سب دلآویز مدہوش کن پیارے لمحے محبت کرنے والوں کے لیے چھوڑ جاؤں گا' وہ لمحے جو بہت قیمتی ہیں' جن میں زندگی کی دھڑکن سنائی دیتی ہے۔ یہ سب چاندنی راتیں' عطر بیز' مخمور' طلسم زدہ راتیں محبت کرنے والوں کو دے جاؤں گا — اور حسینوں کو سب جگمگاتے رنگ' شرمیلی خوشبو میں محبت بھری نگاہیں دے جاؤں گا۔ ان کی مشاطگی کے لیے وہ سب آرائشیں چھوڑ جاؤں گا جو ان ہی کا حق ہیں۔ اور ناامیدوں اور بدنصیبوں کے لیے صبح صادق' جب طلوع آفتاب کے ساتھ دنیا نئے سرے سے تخلیق ہوتی ہے جب ماضی دفن ہوتا ہے اور حال وجود میں آتا ہے۔ اور سیلانی روحوں کو ان کے سارے وسیع صحراؤں' ناپید سمندروں اور گُم شدہ جزیروں کی حکمرانی سونپ جاؤں گا اور زندگی کا بیش قیمت عطیہ بھی — زندگی جو ہر دم رواں دواں ہے' جس کی تازگی اور شگفتگی ابدی ہے۔ اور ان دنیاداروں کے لیے جن کے دل پتھر کے بن چکے ہیں' موسیقی کی وہ غیر فانی تانیں چھوڑ جاؤں گا' جنہیں سُن کر وہ چند لمحوں کے لیے اس شور مچاتی ہوئی دنیا کو بھول جائیں — اور وہ جن کے پاس کچھ بھی نہیں ہے' جو ہمیشہ ناکامیاب رہتے ہیں' ان کے لیے دوستوں کا خلوص چھوڑ جاؤں گا۔ خلوص جو غیر مادی ہے' جو ایمان ہے — دوستو! میں یہ اتنی رنگین' حسین دنیا ترکے میں چھوڑ جاؤں گا جسے میں نے ایک ایک لمحہ پیار کیا ہے۔ تھوڑی سی اور انڈیلنا۔"

اس نے چند گھونٹوں میں گلاس خالی کر دیا۔

"--اور جب میں مر جاؤں، تو جہاں چاہو دفن کر دینا۔ کسی ہرے بھرے میدان میں جہاں دُور دُور تک سبزہ مخمل کی طرح بچھا ہو۔ جہاں خود رُو پھول گھاس سے سر نکال نکال کر جُھومتے ہوں --یا کسی ایسے ویرانے میں جہاں کھنڈر ہوں، بگولے اُڑتے ہوں۔ جہاں خزاں اور بہار میں کوئی فرق نہ ہو، جہا تنہائی ہو، وحشت ہو --یا کسی چوٹی پر درختوں کے جھنڈ میں دفن کر دینا، جہاں برفباری میری قبر پر سفید چادر چڑھاتی رہے۔ بہار آنے پر جب سورج چمکے تو کلیاں کھل کر پھول بن جائیں، بھنورے گانے لگیں، معطر ہوائیں خوشبوئیں بکھرتی ہوئی گزر جائیں۔ کوئی تیز سا جھونکا آئے تو قبر پر پھولوں کی بارش ہو جائے۔ دوستو! یا مجھے اپنے دلوں میں دفن کر دینا!"

اس کا سر سینے پر جھک گیا۔ خمار سے اس کی آنکھیں بند ہو گئیں۔

میں جنگلے کا سہارا لیے افق کو دیکھ رہا تھا۔ افق جو ہر طرف ایک سا تھا۔ جو دائرے کی طرح محیط تھا۔ جو تاریکیوں میں گم تھا۔ ہوا تھمی ہوئی تھی۔ سمندر پُر سکون تھا۔ جہاز رواں تھا، لیکن بالکل ساکن معلوم ہو رہا تھا۔ آسمان پر تارے ٹمٹما رہے تھے۔ کائنات خاموش تھی۔

آسمان اور سمندر کے درمیان ایک وسیع خلا تھا۔ لامتناہی اور ہیبت ناک خلا جس میں وہ تاریک جہاز یوں معلوم ہو رہا تھا جیسے بھٹک رہا ہو، کھویا گیا ہو۔

اور میں سوچ رہا تھا کہ یہ ذہنی کشمکش، یہ ردِّ عمل، یہ آنے والے کل کا خوف، یہ اندیشے --صرف چند ایسے انسانوں کے نہیں تھے جو محاذ پر جا رہے تھے۔ یہ ذہنی کیفیت صرف چند انسانوں کی نہیں تھی، بلکہ ہر انسان کی تھی۔ یہ انسان کے شعور کی تصویر تھی۔ ہر وہ انسان جو اس آسمان تلے سانس لیتا ہے، جو سوچتا ہے، جو زندہ ہے!

یہ روح میں گُھلی ہوئی ابدی تنہائی، تدبیر اور تقدیر دونوں کی بے بسی، زندگی کے سفر کا غیر یقینی پن --اور منزل کا خوف! منزل جو آنکھوں سے اوجھل ہے --اور نا معلوم!

سراب

اس کی آنکھ کھلی تو کمرے میں دھوپ پھیل چکی تھی۔ اس نے لیٹے لیٹے تکیے سے سر اٹھا کر دیکھا۔ دریچوں سے سَرو اور چنار کے درختوں کی قطاریں نظر آ رہی تھیں۔ نیلگوں چمکیلے آسمان میں ایک بادل بھی نہیں تھا۔ خنک ہوا کا جھونکا آیا اور خوشبوئیں چھوڑ گیا۔ اس نے اپنے چہرے پر تازگی اور نور کا لمس محسوس کیا۔

چاروں طرف ایک جیسے پہاڑ تھے۔ بالکل خشک اور بنجر۔ کہیں سبزے کا نام تک نہ تھا۔ اس کے باوجود اسے یہ اچھے معلوم ہوئے۔ شاید اس لیے کہ یہ پہاڑ اجنبی تھے۔ یہ خطّہ اجنبی تھا۔ آسمان کا یہ حصّہ اجنبی تھا۔ یہاں وہ پہلی مرتبہ آیا تھا۔

گھنٹی بجا کر اس نے چاء منگوائی اور سگریٹ سلگا کر دھوپ میں جا بیٹھا۔ رات اسے وہ خواب پھر نظر آیا تھا۔ وہی خواب جسے مدتوں سے دیکھ رہا تھا، جو بالکل بے معنی تھا۔ بے معنی اور عجیب سا۔ نہ جانے یہ خواب اسے بار بار کیوں نظر آتا تھا۔ کبھی مکمل اور حصّوں میں، لیکن ہر بار بلا کسی تبدیلی کے جُوں کا تُوں ہوتا۔

خواب یوں شروع ہوتا جیسے ایک ویرانہ ہے۔ وسیع اور ہیبت ناک ویرانہ جس میں نہ کہیں نشیب ہے نہ فراز۔ نہ کوئی نشانِ راہ۔ ایک دھندلی سی پگڈنڈی پر وہ چلا جا رہا ہے۔ پگڈنڈی جو اس کے وہم کی تخلیق ہے۔ آسمان پر پورا چاند ہے، تارے بھی ہیں، لیکن چاروں طرف تاریکی ہے، چاند بے نور ہے، ستاروں کی دمک معدوم ہے، زمین و آسمان بالکل تاریک ہیں۔ چلتے چلتے جیسے مدتیں گزر جاتی ہیں۔ پھر ایک اور پگڈنڈی نظر آنے لگتی ہے اور ایک شبیہہ — جو قریب تر ہوتی جا رہی ہے۔ پگڈنڈی

آملتی ہے اور وہ شبیہہ اس کے ساتھ ساتھ چلنے لگتی ہے۔ وہ اسے دیکھتا ہے۔ ایک اجنبی حسینہ۔ جس کے خدوخال اجنبی ہیں۔ جس کا لباس اجنبی ہے جس کے ہونٹ خاموش ہیں۔ وہ اس کی طرف دیکھتی ہے۔ وہ اپنا بازو اس کے گرد حمائل کر دیتا ہے۔ وہ اپنا سر اس کے شانے پر رکھ دیتی ہے۔ دونوں اسی طرح خاموش چلتے ہیں۔ کچھ دیر کے لیے چاند تاروں کا نور لوٹ آتا ہے۔ زمین و آسمان جگمگا اٹھتے ہیں۔ پھر ایک جگہ پگڈنڈی الگ ہوتی ہے۔ اور وہ ایک لفظ کہے بغیر جدا ہو جاتی ہے۔ جدا ہوتے وقت ایسی نگاہوں سے دیکھتی ہے جیسے ہمیشہ کے لیے بچھڑ رہی ہو۔ ظلمتیں عود کر آتی ہیں۔ نور چھپ جاتا ہے۔ وہ اسے وسیع ہیبت ناک ویرانے میں گم ہوتے دیکھتا ہے اور اپنا سفر جاری رکھتا ہے'اس آسمان تلے جس میں بے نور چاند ہے' بے نور تارے ہیں'اس زمین پر جہاں نہ کوئی راہ ہے نہ نشانِ منزل۔ اس پگڈنڈی پر جو شاید اس کے اپنے وہم کی تخلیق ہے۔

اس کے بعد خواب کا دوسرا حصّہ نظر آتا ہے۔ جیسے چاروں طرف بادل ہی بادل ہیں۔ اُجلے بادل' بھورے بادل' اودے بادل' مختلف شکلوں کے طرح طرح کے بادل۔ سامنے افق پر بادلوں کے اوپر سنگ مرمر کا ایک قصر ہے جس کے نوکدار برج آسمان سے باتیں کر رہے ہیں۔ خوبصورت مینارے اوپر نکلے ہوئے ہیں۔ فصیلیں دور دور تک پھیلی ہوئی ہیں۔ بادلوں میں وہ شفاف قصر نہایت خوشنما معلوم ہو رہا ہے۔ قصر کے بڑے دروازے تک راستہ جاتا ہے۔ بل کھاتا' مُڑتا ہوا' پُر پیچ راستہ جو کبھی بادلوں کے کناروں کو چھوتا ہے تو کبھی ان کے حاشیوں کو' کبھی بادلوں میں سے گزرتا ہے۔ کہیں کہیں دھند نے راستے کو چھپا رکھا ہے۔ اور ایک دریچے میں کوئی کھڑا ہے۔ شاید وہی اجنبی حسینہ جس کے خدوخال اتنی دور سے اچھی طرح پہچانے نہیں جاتے۔ جیسے وہ کسی کی منتظر ہے۔ بڑے انہماک کے ساتھ وہ اس بل کھاتے ہوئے راستے کو طے کر رہا ہے۔ ہر طویل وقفے کے بعد اسے یوں محسوس ہوتا ہے کہ راستہ اتنے کا اتنا باقی ہے اور وہ اجنبی اور حسین چہرہ اتنا ہی دور ہے۔

پھر جیسے وہ چہرہ غائب ہو جاتا ہے اور دیکھتے دیکھتے قصر میں شگاف آ جاتے ہیں۔ برج منہدم ہو جاتے ہیں۔ مینارے مسمار ہو جاتے ہیں۔ آناً فاناً سب کچھ درہم برہم ہو جاتا ہے۔ اس کے پاؤں تلے راستہ شق ہو جاتا ہے اور وہ گرتا چلا جاتا ہے——

ایسی فضاؤں میں جہاں کچھ بھی نہیں ہے جہاں صرف دلدوز تاریکی ہے۔ وہ عمیق گہرائیوں میں ظلمتوں میں گرتا چلا جاتا ہے۔ جہاں خلا ہے' نہ ختم ہونے والا خلا—— یہاں اس کی آنکھ کھل جاتی۔

وہ رات کی گاڑی سے وہاں پہنچا۔ پورے دو سال کے بعد لمبی سیاحت پر نکلا تھا۔ اتنے دنوں اسے طویل چھٹی کا انتظار رہا۔ اس مرتبہ وہ ایسے ملکوں کی طرف جارہا تھا جن کے متعلق بچپن سے اتنی باتیں سنی تھیں' جنہیں دیکھنے کا بے حد اشتیاق تھا۔ سگریٹ ختم ہو چکی تھی۔ دھوپ تیز ہوتی جارہی تھی۔ اس نے ایک مرتبہ پھر اس بے معنی خواب پر غور کیا۔ کاش کہ ایسے اداس کر دینے والے خواب اسے نظر نہ آیا کریں۔ وہ اداس نہیں ہونا چاہتا' وہ مسرور رہنا چاہتا تھا۔ آزاد' بے فکر اور مسرور۔ تبھی تو اسے سیاحت اس قدر مرغوب تھی۔ اس کی مرغوب ترین یادیں سیاحت سے وابستہ تھیں۔ اس نے اجنبی آسمانوں تلے طرح طرح کے نظارے دیکھے تھے۔ نظارے جو ذہن میں چسپاں ہو کر رہ گئے تھے۔ یہ یادیں کیسی دلفریب تھیں اور یہ تو اسی دنیا کی یادیں تھیں۔ اس کا بس چلتا تو کائنات کے ایک ایک سیارے کو دیکھتا۔ تاریکیوں کے اس بے کراں سمندر کی دوسری طرف جہاں ننھے منے تاروں میں لاتعداد دنیائیں آباد ہیں۔ جہاں نئے چاند ہیں' نئے سورج ہیں' کہکشاں ہیں۔ جہاں لوگ بستے ہیں۔ وہ سب کچھ دیکھنا چاہتا تھا۔ وہ زندگی کا ہر نیا دن کسی نئی جگہ گزارنا چاہتا تھا۔

یہ جہاں گردی کی عادت اسے شروع سے تھی۔ شاید بچپن سے۔ اسے وہ دن یاد تھے جب اسے گھر سے دور سکول بھیجا جاتا۔ اتنی دور کہ سال میں صرف ایک مرتبہ گھر آسکتا۔ اس کے ابا ایسے علاقے میں تعینات تھے جہاں جنگل ہی جنگل تھے۔ دور دور تک کوئی سکول نہ تھا۔ امی سے جدا ہوتے وقت وہ کتنا رویا کرتا۔ روانگی سے کئی دن پہلے وہ امی کو دلاسے دینے شروع کر دیتا۔ امی برآمدے کی چھت پر میں سفید سفید پتھر پھینک رہا ہوں۔ انہیں دیکھ کر مجھے یاد کر لیا کرنا۔ امی میں یہ دو گیندے کے پودے لگا رہا ہوں۔ ان میں پھول آئیں گے تو میں بھی یاد آیا کروں گا۔ سیمنٹ کے گیلے فرش پر میں نے اپنے قدموں کے نشان چھوڑ دیے ہیں۔ خشک ہونے پر نشان پختہ ہو جائیں گے۔

اور امی کس قدر مغموم ہو جاتیں۔ ان کی آنکھیں نمناک رہتیں۔ چھٹیوں میں لمحے بھر کے لیے وہ اسے جدا نہ ہونے دیتیں۔ صبح صبح سب سے پہلے وہ اس کا چہرہ چومتیں اور دیر تک دیکھتی رہتیں۔ جدا ہوتے وقت ابا تو سر پر ہاتھ پھیر کر بازو کو ذرا سا تھپتھپا دیتے، لیکن امی دور تک ساتھ جاتیں۔ ساتھ ننھی بہن بھی ہوتی جو امی کو غمگین دیکھ کر رونے لگتی۔ سکول پہنچ کر وہ امی کو طرح طرح کی چیزیں بھیجتا۔ ہر تیسرے روز خط لکھتا۔ امی شام کو جو مغرب میں چمکیلا تارا طلوع ہوتا ہے، اسے میں دیر تک دیکھتا رہتا ہوں۔ آپ بھی اسے دیکھا کیجیے۔ صبح صبح اٹھ کر دعا مانگتا ہوں۔ پچھلی رات کا پھیکا سا چاند نکلتا ہے تو اسے دیکھتا ہوں کہ شاید آپ بھی نماز پڑھ کر اسے دیکھ رہی ہوں۔ سکول کے اور بچے اپنے والدین کا ذکر کرتے تو اس کی آنکھوں میں آنسو آجاتے۔ کیسا کیسا جی چاہتا کہ وہ بھی اپنے گھر میں رہے جہاں والدین کا پیار میسر ہو۔ کھیلنے کے لیے ننھی بہن ہو۔

سکول بدلتے رہے۔ اسے نئی نئی جگہوں پر بھیجا گیا۔ عزیزوں کے پیار سے سدا محروم رہا۔ اسے کبھی اندازہ نہ ہو سکا کہ گھر کی چار دیواری میں کیسی زندگی ہوتی ہے۔ آہستہ آہستہ اسے تنہا رہنے کی عادت پڑ گئی اور ساتھ ہی سیاحت کی بھی۔

اس نئے شہر میں گھومتے ہوئے ہر چیز میں غیر ملکی اثر محسوس ہوتا تھا۔ مکانوں کی طرزِ تعمیر مختلف تھی۔ لوگ اور طرح کے تھے۔ ان کے لباس وخدوخال، زبان——سب مختلف تھے۔ اسے یہ سب کچھ بے حد پراسرار اور نیا معلوم ہو رہا تھا۔

ایک دکان کے سامنے اس نے ایک بوڑھے شخص کو دیکھا جو گا رہا تھا۔ اس کی بغل میں کتابیں تھیں۔ عمر ستر سے اوپر تھی۔ بال سفید ہو چکے تھے۔ چہرے پر بے شمار جُھرّیاں تھیں اور آنکھوں پر ٹوٹی ہوئی عینک۔ پھٹے ہوئے پرانے لباس کے باوجود اس کے چہرے پر وہ وجاہت تھی جو عمر کے ساتھ آجاتی ہے۔ یوں معلوم ہوتا تھا جیسے اس نے کبھی اچھے دن بھی دیکھے ہوں گے۔ وہ ایک عشقیہ غزل گا رہا تھا نہایت ادنیٰ مضمون کی۔ شاید وہ فلمی گیت تھا۔ جب وہ آواز بلند کرتا تو گردن کی رگیں پھول جاتیں۔ گلا بھرّا جاتا اور کبھی کبھی سانس بھی رک جاتا۔ جلدی سے سانس لے کر وہ پھر گانے لگتا۔ جب

غزل ختم کر چکا تو اس نے بلند آواز میں بتایا کہ یہ غزل اس کتاب کی تھی۔ کتاب میں ایسی بہت سی غزلیں ہیں۔ کتاب کی قیمت بھی بتائی' لیکن کوئی خریدار نہ آیا۔ کچھ انتظار کے بعد اس نے غزل شروع کر دی۔ چند لڑکوں نے فقرہ کسا۔ بڑے میاں اس عمر میں عشق و محبت کی باتیں۔ آرام سے بیٹھ کر اللہ اللہ کیوں نہیں کرتے۔ بوڑھے نے گوشہ چشم سے ان کی طرف سے دیکھا۔ آستین سے ماتھے کا پسینہ پونچھا اور ایسی نگاہوں سے زمین کی طرف دیکھنے لگا جیسے وہ بے حد تھکا ہوا ہو۔

اس نے ایک کتاب خریدی اور دانستہ طور پر کچھ دام زائد دیے۔ بوڑھا ابھی گن ہی رہا تھا کہ وہ جلدی سے چل دیا۔ اسے بوڑھے کی آواز سنائی دی جس نے بلا کر زائد دام لوٹا دیے۔ اس نے دیکھا کہ بوڑھے کے ہاتھوں میں رعشہ تھا۔

وہ شہر کی پر رونق سڑک پر چل رہا تھا جہاں دکانیں طرح طرح کی چیزوں سے سجی ہوئی تھیں۔ روئیں دار کوٹ' بالوں والے ملائم جوتے' خوشنما قالین' ہاتھی دانت کے دستے کے خنجر۔ وہ ہر دکان کے سامنے کچھ دیر ٹھہرتا۔ دفعتاً اسے ایک مانوس چہرہ دکھائی دیا۔ نزدیک جا کر دیکھا تو ایک پرانا دوست نکلا۔ دونوں بڑی گرمجوشی سے ملے۔ زمانہ طالب علمی میں دونوں بڑے گہرے دوست رہ چکے تھے۔ عرصے تک ہم پیالہ اور ہم نوالہ رہے۔ بڑے اشتیاق سے ایک دوسرے کے متعلق سوال پوچھے۔ بیتے ہوئے دنوں کی باتیں کرنے لگے۔ پرانی باتیں' پرانے واقعات' پرانے قصے—لیکن یہ باتیں بہت جلد ختم ہو گئیں۔ انہی چیزوں کو دہرا دہرا کر اکتا گئے۔ اسے کچھ مایوسی سی ہوئی۔ دونوں کے خیالات بہت بدل چکے تھے۔ اب کوئی نیا موضوع نہیں ملتا تھا۔ رفاقت کا وہ احساس جو چند لمحے پہلے اس شدت کے ساتھ محسوس ہوا تھا غائب ہو گیا۔ اس کی جگہ اجنبیت نے لے لی۔ شاید وہ خود بدل گیا تھا۔ شاید یہ بدلنا فطری تھا۔ پرانے دنوں کے بعد دونوں زندگیوں کے محور مختلف رہے تھے۔ اسے بڑا تعجب ہوا۔ فاصلہ اور وقت انسان کو کس طرح بدل دیتا ہے۔ یوں معلوم ہوتا تھا جیسے وہ پہلے کبھی نہیں ملے۔ اس کا دوست دوپہر کی گاڑی سے جا رہا تھا۔ یہ اسے چھوڑنے گیا۔ جب وہ وقت گزارنے کے لیے بے معنی سی گفتگو کر رہے تھے تو اسے ایک ضعیف باپ کی باتوں نے متوجہ کر لیا جو اپنے بیٹے کے ساتھ کھڑا تھا۔ اس کا بیٹا کہیں دور جا رہا تھا۔ وہ اسے نصیحتیں کر رہا

تھا۔ ”اپنا دل پتھر کا بنالو۔ قسمت پر کبھی بھروسہ مت کرنا۔ قسمت ہمیشہ دغا دیتی ہے۔ دلیری، صبر اور تحمل۔ میں نے زندگی بھر انہیں ہاتھ سے نہیں جانے دیا۔ اب تم جوان ہو تمہیں دلیر اور سخت دل ہونا چاہیے۔ یہ یاد رکھو کہ تمہارے والد نے کبھی ہمت نہیں ہاری۔ اس کے سامنے تقدیر کانپتی تھی۔“

گاڑی کی روانگی کا وقت قریب آیا تو اس کا اندازِ گفتگو بدل گیا۔ وہی معمر تجربہ کار بزرگ جو سبق دے رہا تھا بالکل بچوں کی سی باتیں کرنے لگا۔ اس کے عمر رسیدہ چہرے پر کرب کی لہر دوڑ گئی۔ ہونٹ کانپنے لگے۔ وہ بمشکل آنسو ضبط کر سکا۔

”اسی طرح لکھا تھا بیٹے کہ میری اس عمر میں تم مجھ سے اتنی دُور رہو۔ اگر تمہاری والدہ زندہ ہوتی تو شاید مجھے تمہاری جدائی اس قدر محسوس نہ ہوتی، لیکن اب مجھ سے تنہائی برداشت نہیں ہوتی۔“

گاڑی نے سیٹی دی۔ بوڑھا آنسو نہ روک سکا۔

”معلوم ہوتا ہے کہ یہ آخری ملاقات ہے۔ لاؤ میں تمہاری پیشانی پر بوسہ دوں۔ جب تم ننھے سے تھے تو تمہیں رخصت کرتے وقت ہمیشہ پیشانی چوما کرتا تھا۔“

”آپ ایسی باتیں کیوں کرتے ہیں؟“ نوجوان لاپروائی سے بولا۔

”میرا دل گواہی دیتا ہے کہ یہ آخری ملاقات ہے۔ تم نہیں جانتے، اس عمر میں ایک ایک لمحہ گِنا گِنایا ہے۔“ بوڑھے نے بیٹے کی پیشانی کو یوں چوما جیسے وہ ایک ننھے سے بچے کو پیار کر رہا ہو۔ گاڑی نے جنبش کی۔ بوڑھے نے جلدی سے کچھ نوٹ نکالے اور بیٹے کے ہاتھ میں تھما دیے۔

”یہ لو، میں تو بھول ہی گیا تھا۔“

”نہیں ابّا۔ میری تنخواہ بہت ہے۔ مجھے اب ضرورت نہیں۔“

”تمہیں ضرورت نہ ہو، لیکن میرے لیے تم وہی ننھے سے بچے ہو۔ یہ لو۔“

بوڑھا لڑکھڑاتے قدموں سے ساتھ ساتھ چل رہا تھا، حتیٰ کہ گاڑی تیز ہو گئی اور ساتھ نہ دے سکا۔

بوڑھے کی آنکھوں سے آنسو بہہ رہے تھے جنہیں اس نے خشک نہیں کیا اور دیر تک کھڑا گاڑی کے دھوئیں کو دیکھتا رہا۔

سہ پہر کو وہ وہاں کی مشہور جھیل دیکھنے گیا جو پہاڑوں میں گھری ہوئی تھی۔ خشک سنگلاخ چٹانون میں اتنی بڑی جھیل نہایت خوشنما معلوم ہوتی تھی۔ سورج چمک رہا تھا۔ فضا ساکن تھی۔ پانی کی سطح آئینے کی طرح شفاف تھی۔ کناروں پر چھوٹے چھوٹے کنج تھے۔ وہ پہاڑ پر چڑھتا گیا اور اتنی بلندی پر پہنچ گیا کہ جھیل چھوٹی سی معلوم ہونے لگی۔ سامنے وسیع وادی میں شہر دور تک پھیلا ہوا تھا۔ دھوپ پیلی پڑ چکی تھی۔ پہاڑوں کے سائے لمبے ہوتے جا رہے تھے۔ وہ ایک اور راستے سے اترا جو اسے دوسری طرف لے گیا۔ اس نے ایک ہجوم کو دیکھا جو اس کی طرف آ رہا تھا۔ آگے آگے ایک شخص تھا جس نے کپڑوں میں لپٹی ہوئی کوئی چیز تھام رکھی تھی۔ ایک جگہ وہ سب رک گئے۔ یہ کسی بچے کا جنازہ تھا۔ بچے کا باپ ایک نوعمر لڑکا تھا جسے لوگ چھیڑ رہے تھے' اس کا مذاق اڑا رہے تھے کہ اسے شکر ادا کرنا چاہیے کہ بچہ مر گیا ورنہ اس چھوٹی سی عمر میں اس پر اتنا بوجھ آن پڑتا۔ واقعی خدا کے ہر کام میں کوئی نہ کوئی مصلحت ہوتی ہے۔

وہاں بچپن کی شادی عام تھی۔ اس نے بچے کے باپ کو دوبارہ دیکھا۔ بالکل چھوٹی سی عمر کا ہنس مکھ لڑکا جو خوب مسکرا رہا تھا۔ غالباً اسے احساس نہیں تھا کہ یہ کیا ہو رہا ہے۔

جب بچہ دفن ہو چکا تو لوگ آہستہ آہستہ جانے لگے۔ لڑکا کچھ دور ان کے ساتھ ساتھ گیا پھر لوٹ آیا۔ جب وہاں کوئی نہ رہا تو وہ قبر کے پاس بیٹھ گیا۔ اس نے ہاتھوں سے چہرہ چھپا لیا اور پھوٹ پھوٹ کر رونے لگا۔ اس کی ہچکی بندھ گئی۔ دیر تک اس کے آنسو نہ تھمے۔ یہ کسی چھوٹے سے لڑکے کا گریہ نہ تھا۔ یہ ایک باپ کا گریہ تھا۔ اپنی اولاد کے لیے۔ ایک باپ ماتم کر رہا تھا۔

جب وہ لوٹا تو اداس تھا۔ دن میں دیکھی ہوئی تصویریں سامنے پھر رہی تھیں۔ محبت' شادی' اولاد — وہ ان سب جھنجھٹوں سے آزاد رہنا چاہتا تھا۔ وہ کنوارا تھا اور عمر بھر کنوارا رہنا چاہتا تھا۔ اس نے تہیہ کر رکھا تھا کہ دنیا کی ہر چیز کو دیکھے گا۔ مگر دور سے۔ وہ تمام عمر تماشائی رہنا چاہتا تھا۔ زندگی کی سب سے بڑی مصیبت بڑھاپا ہے مگر وہ بڑھاپے کی آمد تک زندہ نہیں رہنا چاہتا تھا۔ وہ اس سے پہلے ہی مر جانا چاہتا تھا۔

اس نے خیالات کے سلسلے کو یکلخت منقطع کر دیا اور بڑے ہال میں چلا گیا

جہاں رقص کی تیاریاں ہو رہی تھیں۔ کچھ دیر کے بعد جب موسیقی شروع ہوئی تو وہ سب کچھ بھول گیا۔

اگلے روز وہ پھر سفر پر روانہ ہوا۔ پہلے باغ آئے پھر اکّے دُکّے درخت اور خار دار جھاڑیاں۔ پھر خشک اور بنجر ویرانہ۔ میلوں تک ایک جیسی پتھریلی زمین اور چٹانیں۔ چٹانیں جو دور سے اودی معلوم ہوتیں' نزدیک آنے پر سیاہ اور بھورے رنگ نمایاں ہو جاتے۔

پھر بلند پہاڑوں کا سلسلہ شروع ہو گیا۔ یہ پہاڑ بڑے ڈراؤنے تھے۔ یہاں چٹانیں سورج کی تپش سے جھلس کر رہ گئی تھیں اور ان میں شگاف آگئے تھے۔ بڑے بڑے پتھر سنگریزوں میں تبدیل ہو چکے تھے۔ فضا میں ایک عجیب سی اداسی تھی۔ ویرانی کے سوا اور کچھ نظر نہیں آ رہا تھا۔ اس نے سوچا کہ یہی ویرانیاں زندگی میں سنگِ میل بنتی ہیں۔ ویرانیاں جو روح کی ظلمتوں کو ایک نئے نور سے معمور کرتی ہیں۔ تب دل کا اندھیرا ہولے ہوئے غائب ہوتا ہے۔ جھلسی ہوئی چٹانوں میں رنگین پھول کھلتے ہیں۔ تپتی ہوئی فضا میں خنک عطر بیز جھونکے آتے ہیں اور ابدی خاموشیاں نئی نئی راگنیوں سے گونج اٹھتی ہیں۔ تب انسان اپنے آپ سے ہم کلام ہوتا ہے۔ اس کے دل کے نہاں خانے سے وہ راز نکلتے ہیں جو مدتوں سے مدفون تھے۔ تب روح ایک نئی جِلا سے آشنا ہوتی ہے۔ تب روح تخلیق کرتی ہے۔

ان وسیع وادیوں سے گزرتے ہوئے اسے یاد آیا کہ یہ علاقہ کبھی قدیم تہذیب و تمدن کا گہوارہ تھا۔ یہاں شہر آباد تھے۔ انسان کی بنائی ہوئی چیزیں کتنی آسانی سے مٹ جاتی ہیں۔ اس کے چھوڑے ہوئے سارے نشان نیست و نابود ہو جاتے ہیں اور پھر یہی سنگلاخ چٹانیں اور تپتی ہوئی زمین رہ جاتی ہے۔

سڑک بل کھاتی ہوئی چڑھ رہی تھی حتیٰ کہ چوٹی آگئی اور وہ درہ بھی آگیا جس کے متعلق اس نے اس قدر سن رکھا تھا۔ موٹر رکی۔ ایک اونچے پتھر پر کھڑے ہو کر اس نے نظر دوڑائی۔ سامنے نیا ملک نظر آ رہا تھا۔ وہاں سے نئی دنیا شروع ہوتی تھی۔ زندگی کے اتنے سال گزر گئے اور اسے خیال تک نہ آیا کہ محض چند دنوں کی

مسافت پر ایک نیا ملک آباد ہے جہاں کی ہر چیز نئی ہے۔ وہ یہاں پہلے کیوں نہ آیا۔

یہاں سے کئی فاتح گزرے۔ تب بھی یہ درّہ یونہی ہوگا۔ یہ چٹانیں' یہ پھیلی ہوئی دھند' یہ مٹیالا آسمان—— سب یونہی ہوں گے۔ وہ کون سا جذبہ تھا جو اجنبیوں کو کھینچ لایا۔ مال اور دولت کا لالچ—— ملک گیری کی خواہش—— یا شاید ان سے بالاتر کوئی کشش—— وہ جذبہ جو انسان کو چاند تاروں کی طرف دیکھنے پر اکساتا ہے—— جذبۂ تجسّس—— اَن دیکھے نظاروں کی جاذبیت—— نامعلوم راہوں کی کشش——!

موٹر نیچے اتر رہی تھی۔ یہ علاقہ بھی ویسا ہی تھا۔ پہاڑیاں ختم ہوئیں اور چٹیل میدان نظر آئے۔ اسے دیہاتی دکھائی دیے جو ہاتھ کے اشارے سے موٹر ٹھہرانا چاہتے تھے۔ ڈرائیور نے موٹر روک لی۔ وہ بغیر کچھ کہے سنے کھڑکیوں سے اندر کود آئے۔ ان کی یہ بدتمیزی بُری لگی' لیکن ان کے چہروں کی طفلانہ مسکراہٹ دیکھ کر وہ مسکرائے بغیر نہ رہ سکا۔ وہ اپنے گاؤں جانا چاہتے تھے جو راستے میں آتا تھا۔

اس نے غور سے انہیں دیکھا۔ تانبے جیسا دہکتا ہوا رنگ' غیور روشن آنکھیں' گھنے ابرو' اوپر کو اُٹھی ہوئی مونچھیں' تندرست جسم۔ میلے کچیلے لباس میں بھی بچ رہے تھے۔ ایک دیہاتی گانے لگا۔

'دوستو! مرد زندگی بھر موت سے کھیلتے ہیں——

مرد گرتی ہوئی بجلیوں کو للکار کر تھام لیتے ہیں——

ہمیشہ یاد رکھو کہ جو مصیبت کل آنے والی ہے وہ مصیبت ہی نہیں—— کیونکہ ابھی اتنی لمبی رات باقی ہے۔'

دوسرے نے ساتھ دیا۔

'دوستو! میں اپنے وطن کا اتہ پتہ بتاؤں——

میرا وطن کہاں ہے؟

ہر وہ جگہ جہاں قدموں تلے خدا کی زمین ہے——

اور سر پر خدا کا آسمان ہے۔'

ان کی آواز میں کرختگی تھی۔ وہ بغیر کسی سُر کے گا رہے تھے' مگر ان کے گانے میں بلا کا لوچ تھا۔

'دوستو! میں اپنے محبوب کا اتہ پتہ بتاؤں
مجھے زندگی میں صرف ایک ہستی سے محبت ہوئی۔
جس نے میرا سر بلند رکھا، جس نے مجھ سے کبھی بے وفائی نہیں کی
میری بندوق! جس سے اگر چاہوں تو آسمان کے تارے گرا لوں۔'

وہ گاتے رہے حتیٰ کہ ان کا گاؤں آ گیا۔ اندھیرا ہو چلا تھا۔ وہ جلد شہر پہنچ جانا چاہتا تھا، لیکن دیہاتیوں نے نہ جانے دیا۔ وہ ان کا مہمان تھا۔ وہ اکٹھے کچی دیواروں کے ایک وسیع احاطے میں داخل ہوئے۔ بڑا پرتپاک استقبال ہوا۔

کھانے کا وقت آیا۔ دستر خوان بچھایا گیا۔ دستر خوان پر دو قیدی بھی تھے جو اسی شام کو گرفتار کر کے لائے گئے تھے، جنہیں ابھی مقامی عدالت کے سامنے پیش نہیں کیا گیا تھا۔ کچھ دیر کے لیے ان کی ہتھکڑیاں اتار دی گئیں۔ ہاتھ دھلوائے گئے اور انہیں ساتھ بٹھا لیا گیا۔

کھانا ختم ہو چکا تو نوجوانوں نے آگ کے گرد حلقہ بنا لیا اور رقص کی تیاریاں ہونے لگیں۔

موسیقی شروع ہوئی۔ سادہ سازوں سے نکلی ہوئی سادہ لَے پر وہ نہایت خوبصورتی سے رقص کرنے لگے۔ تال پر ایک ساتھ جنبش کرتے۔ تال پر ایک ساتھ گھومتے دیواروں پر ان کے لمبے لمبے سائے تھرک رہے تھے۔

لَے تیز ہوتی گئی۔ موسیقی میں حدت آ گئی۔ رقص میں حدت آ گئی۔

اس نے پہلے بھی موسیقی سنی تھی۔ اس نے صبح صبح جوگیوں کو گاتے سنا تھا' طلوع آفتاب کے وقت جب پھیلتے ہوئے نور اور رنگوں کے باوجود ایک عجیب سی اداسی روح میں اترتی چلی جاتی ہے، جوگیوں کے گانے میں روح کی اس اداسی کا اعتراف تھا۔ اس نے عیاشوں کی محفلوں میں شوخ و چنچل موسیقی سنی تھی، ایسی محفلوں میں جہاں بے فکری تھی اور حسین چہرے تھے۔ جہاں زندگی منزل پر آ کر تھم جاتی۔ جہاں ماضی اور مستقبل دونوں بے معنی تھے۔ اس نے پیانوں پر اداس نغمے سنے، جب نازک انگلیاں سیاہ سفید پردوں پر متحرک تھیں اور حسین نگاہوں میں پیغام تھے۔ پیغام میں درد تھا۔ جاگی ہوئی راتوں کی بے قراری تھی۔ اَن گنت گلِے تھے۔ اس نے بندرگاہوں کی نشہ

اور موسیقی سنی تھی جو صرف ملاحوں کے لیے تھی، جو شراب کی بوتلوں سے نکلی ہوئی معلوم ہوتی تھی جس میں غضب کا خمار تھا— اس نے غریبوں کی جھونپڑیوں میں زمین پر بیٹھ کر وہ گیت بھی سنے تھے جن میں غم اور خلوص گھلے ہوئے تھے، جن کو سن کر ان کے پژمردہ چہرے طمانیت اور وقتی مسکراہٹوں سے روشن ہو جاتے۔ اس نے رات کی تاریکیوں میں بانسری پر دردناک نغمے بھی سنے تھے جن میں شکوے ہی شکوے تھے کسی کے شکوے کسی کے لیے۔

لیکن یہ موسیقی ان سب سے مختلف تھی۔ اس میں نرالی جاذبیت تھی۔ انوکھی گونج تھی۔ اس میں طوفانوں کی سی جدوجہد تھی۔ یہ موسیقی اور یہ رقص اس وسیع وادیوں اور سنگلاخ چٹانوں کی تخلیق تھے۔ یہ نغمہ آزاد دلوں کا نغمہ تھا۔ وہ نغمہ جو زمین و آسمان کی قید سے آزاد ہے، جو حیات و موت کی قید سے آزاد ہے۔

چند دنوں کے بعد اسے ایک گاؤں میں ٹھہرنا پڑا۔ وہاں کی خستہ سرائے میں قیام ہوا۔ وہیں ایک اور سیّاح بھی مقیم تھا جو دوسرے ملک سے آیا تھا۔ وہ بیحد مغموم معلوم ہوتا تھا۔ اس کے بال الجھے ہوئے تھے۔ لباس بے ترتیب تھا۔ وہ پی رہا تھا اس نے اسے باہر چلنے کے لیے کہا، لیکن وہ پینے میں بری طرح مشغول تھا اکیلا ہی وہ باہر نکلا۔

گاؤں کے چاروں طرف بادام اور خوبانیوں کے درخت تھے۔ انگور کی بیلیں تھیں۔ پہاڑوں سے ایک چشمہ شور مچاتا ہوا بہتا تھا جس کے کناروں پر لمبی لمبی گھاس میں جنگلی گلاب کھلا ہوا تھا۔ جب آفتاب غروب ہوا اور ہوا کے جھونکے تیز ہوئے تو نئی نئی نکلی ہوئی کونپلوں کی خوشبو فضا میں پھیل گئی۔ شفق پھولی، اونچے پہاڑوں کی چوٹیاں سرخ ہو گئیں۔ پھر تاریکی گہری ہوتی گئی۔ سرو اور سفیدے کے درخت مہیب معلوم ہونے لگے۔ جب وہ واپس لوٹا تو اندھیرا چھا چکا تھا۔ دفعتاً اسے شعلے بلند ہوتے ہوئے نظر آئے۔ گولیوں کی آواز سنائی دی۔ اس کے سامنے ایک شخص چلتے چلتے بھاگنے لگا اور اسے گولی لگی۔ حملہ آور جو شاید کسی دوسرے گاؤں کے تھے۔ بندوقوں کے دستوں سے دروازے توڑ رہے تھے۔ گلیوں کی دونوں طرف سے گولیاں چل رہی تھیں۔ بھاگنا یا چھپنا بے سود تھا۔ سنسناتی ہوئی گولیاں بالکل اسے چھوتی ہوئی نکل رہی تھیں۔

چاروں طرف شدید لڑائی ہو رہی تھی جس کی وجہ کوئی دیرینہ دشمنی معلوم ہوتی تھی۔ وہ محض تماشائی تھا' لیکن اس وقت اس ہنگامے میں برابر کا شریک تھا۔ اسے یوں معلوم ہو رہا تھا جیسے ابھی چند لمحوں میں زندگی ختم ہوا چاہتی ہے۔ اسے موت بے حد قریب معلوم ہوئی۔ اس نے موت کا سانس اپنے ماتھے پر محسوس کیا۔ وہ سرائے میں پہنچا تو اس نے اپنے ساتھی کو پیتے ہوئے پایا۔ اس کی آنکھیں سرخ تھیں' بال پریشان تھے وہ بہت پی گیا تھا۔ روکنے پر بھی وہ نہ مانا۔ وہ دونوں خاموش بیٹھے رہے۔ دونوں ایک دوسرے کے لیے بالکل اجنبی تھے۔ پھر نہ جانے کیونکر ذرا سی دیر میں دوست بن گئے۔ شاید یہ اس شدید خطرے کا احساس تھا یا موت کا خوف۔ خوف جو مشترکہ تھا وہ کٹھن لمحے دونوں کے لیے یکساں تھے۔

بہت جلد وہ بے تکلّف ہو گئے۔ اجنبی اپنی زندگی کی داستان سنانے لگا۔ اس نے بتایا کہ وہ پکا شرابی ہے۔ شراب کے علاوہ دیگر منشیات بھی استعمال کرتا ہے۔ شروع شروع میں جب اس نے پینا شروع کیا تو اس کا ضمیر اسے ملامت کیا کرتا' لیکن اب کبھی ایسا خیال نہیں آتا۔ اب وہ ہر وقت نشے میں رہتا ہے۔ ہر وقت اس پر نیند سی طاری رہتی ہے۔ جب کبھی اس کیفیت سے چونکتا ہے تو آس پاس کی چیزوں اور ماحول سے گھبراتا ہے' چنانچہ اس کی یہی خواہش رہتی ہے کہ یہ خمار ہر وقت رہے۔ لوگ اس سے نفرت کرتے ہیں۔ دنیا میں کوئی اس کا دوست نہیں۔ پھر بھی اس کے اوقات بڑے مزے میں گزرتے ہیں۔ اس کی پیدائش فطرت کی بہت بڑی غلطی تھی۔ اسے ایسے گھرانے میں جہاں پہلے ہی بے شمار اولاد تھی۔ جب وہ پیدا ہوا تو سب نے افسوس کا اظہار کیا۔ اس کی پرورش بہت بُری طرح ہوئی۔ کوئی اس کے وجود کو نہیں چاہتا تھا۔ ہوش سنبھالا تو ناکامیوں نے آن دبوچا۔ وہ جو کچھ بننا چاہتا تھا نہ بن سکا۔ اس کی ایک خواہش بھی پوری نہیں ہوئی۔ پھر اسے ایک ایسی عشوہ طراز حسینہ سے محبت ہو گئی جس کے چاہنے والے لاتعداد تھے۔ جو سنگدل تھی' ہرجائی تھی۔ ہزارہا کوششوں کے باوجود وہ اس کا خیال دل سے نہ نکال سکا۔ اسے نہ بھلا سکا۔ سارا خلوص اور پیار بے کار گیا اور زندگی حسینہ کے غمزوں کے گرد گھومتی رہی۔ پھر اتفاق سے اسے کہیں سے دولت مل گئی۔ اس پر بہت سے لوگ ملتفت ہوئے۔ وہ بھی ملتفت ہوئی۔ دونوں کی شادی ہو گئی۔

شادی کی شام وہ اپنے کسی عاشق سے ملنے گئی۔ شادی کے بعد اس نے کھلم کھلا اپنے مداحوں سے ملنا شروع کر دیا۔ کئی سال اکٹھے رہنے کے باوجود بھی وہ اجنبی رہے، لیکن اس کی محبت کم نہ ہو سکی۔ وہ اس سے نفرت نہ کر سکا۔ آخر ایک روز اسے چھوڑ کر کسی کے ساتھ چلی گئی۔

اس کے بعد اس نے مذہب کی طرف رجوع کیا۔ کوشش کی کہ کسی طرح عبادت میں غم بھلا دے۔ بڑے عجز سے دعائیں مانگیں، لیکن خدا سے کوئی مدد نہ آئی۔ پھر اس نے گناہ کرنے چاہے، گناہ کی زندگی بسر کرنی چاہی، لیکن ناکامیاب رہا۔ کیونکہ وہ بزدل تھا، جذباتی تھا اور گناہ کرنے کے لیے ہمت چاہیے۔ اس نے دوستوں کے خلوص پر زندہ رہنا چاہا، لیکن دوستوں نے ایک ایک کر کے دغا دی۔ دنیا میں اس کا کوئی نہ رہا۔ پھر چاروں طرف سے ظلمتیں عود کر آئیں۔

سَن سے ایک گولی بالکل قریب سے گزری۔ شور و غل نزدیک آتا گیا۔ لڑائی بہت قریب ہو رہی تھی۔

"کیوں کر بتاؤں کہ میں نے کیسے کیسے عذاب برداشت کیے ہیں۔ کیسے کیسے جہنّموں میں جلایا گیا ہوں، الفاظ صحیح طور پر بیان نہیں کر سکتے۔ کسی زبان میں اس کا اظہار نہیں کر سکتا۔ میں ہمیشہ پیاسا رہا ہوں۔ ایسا پیاسا جسے دور پانی بھی نظر آتا ہو۔ میں نہایت کمزور ہوں۔ ڈرپوک ہوں۔ آخر ایک دن میں نے فیصلہ کر لیا کہ میں اب غم برداشت نہیں کر سکتا۔ اب زندگی کا مقابلہ نہیں کر سکتا۔ اب میں مسرور رہا کروں گا۔ پہلے مجھے شراب سے نفرت تھی اور شرابیوں کو حقارت کی نگاہ سے دیکھتا تھا، لیکن میں پینے لگا۔ اب میں ہر وقت مخمور رہتا ہوں۔ ہر وقت خواب دیکھتا رہتا ہوں۔ اور پھر خواب اور حقیقت میں فرق ہی کیا ہے؟ خواب دیکھتے وقت بھی سب کچھ حقیقت معلوم ہوتی ہے۔ کہیں بیدار ہونے پر یہ محسوس ہوتا ہے کہ یہ سب تو خواب تھا۔ میں خوابوں سے بیدار کم ہوتا ہوں۔ کیا بتاؤں کہ میں کیسی کیسی دنیاؤں میں پرواز کرتا ہوں۔ ساری بلندیاں اور پستیاں میرے سامنے سرنگوں ہو جاتی ہیں۔ میں کائنات پر حکمرانی کرتا ہوں۔ میں نے کیسے کیسے نظارے دیکھے ہیں۔ مَیں نے چاندنی راتوں میں قلوپطرہ کے ساتھ نیل میں کشتی کی سیر کی ہے۔ ایک محصور قلعے کی فصیل پر ہیَن کو چوما ہے۔ میں

نے دنیا کی خوبصورت ترین عورتوں سے محبت کی ہے۔ مجھے ان کے لبوں کا ایک ایک بوسہ یاد ہے۔ ان کا ایک ایک لفظ میرے کانوں میں گونج رہا ہے۔ میں نے جنگیں جیتی ہیں۔ میں تیروں کی بوچھاڑ میں گیا اور دشمن کا جھنڈا چھین لایا۔ اور جب مفتوح شہر میں داخل ہوا تو لوگ سجدے میں جھک گئے۔ کئی مرتبہ مجھے ایسی پیاری موت نصیب ہوئی کہ دنیا کی حسین ترین آنکھیں میرے لیے سوگوار ہوئیں۔ میں فرشتوں کے ساتھ آسمانوں میں اڑا ہوں اور زمین پر رینگتے حقیر انسانوں کو دیکھ دیکھ کر مسکرایا ہوں۔ ایک جُھلسے ہوئے پہاڑ کی بلند چوٹی پر کھڑے ہو کر میں خدا سے ہمکلام ہوا ہوں۔ میں نے چرواہوں کے ساتھ صحراؤں میں وہ تارے چمکتے دیکھے ہیں جو حضرت عیسیٰ کی آمد کا مژدہ سناتے تھے جو اتنی تیزی سے چمکتے تھے کہ آنکھیں چندھیا جاتیں۔ کون کہتا ہے کہ یہ خواب ہیں۔ یہ سب حقیقت ہے۔ یہ ایک نئی زندگی مجھے ملی ہے۔ اب میں واپس ان ظلمتوں میں ہرگز نہیں جاؤں گا۔ اب میں سدا مسرور رہوں گا۔"

رات بھر گولیوں کی آواز آتی رہی۔ شعلے تھرکتے رہے۔ شور و غل مچا رہا۔ جب رات تمام ہوئی تو یہ ہنگامہ ختم ہوا۔ سورج طلوع ہوا اور زندگی کی روشنی پھیل گئی۔ ایک کیف آور اَن جانی خوشبو کہیں سے آکر فضا میں سما گئی۔ اس لطیف ہوا میں سانس لیتے وقت اس نے زندگی کے لمس کو محسوس کیا۔ اسے زندگی جاگتی ہوئی دکھائی دی۔ باہر نکل کر دیکھا تو رات کے تاریک سائے اور ڈراؤنے ہیولے غائب ہو چکے تھے۔ گلیوں میں لوگ اس طرح چل رہے تھے جیسے کچھ بھی نہیں ہوا۔ پڑوس کے بڑے میدان میں جو رات بھر کشت و خون کا مرکز رہا ایک برات آکر ٹھہری تھی۔ سازوں پر نہایت مسرور دھن بج رہی تھی۔ رنگ برنگے لباس دکھائی دے رہے تھے۔ بلند قہقہے سنائی دے رہے تھے۔

وہ سوچنے لگا کہ زندگی اور موت ایک دوسرے سے کس قدر قریب ہیں۔ ہر صبح زندگی جاگتی ہے۔ نور کے سیلاب کو ساتھ لاتی ہے۔ رات کی تاریکی میں موت کا تسلط چھا جاتا ہے' زندگی سو جاتی ہے۔

رات اسے کیسا عجیب تجربہ ہوا تھا۔ اس سے پہلے اس نے موت کا نام سنا تھا۔ رات اس نے موت کو متحرک دیکھا تھا۔ رات اس نے ایک انسان کو بھی قریب سے دیکھا تھا۔

اس کی نگاہیں سامنے شہ نشین پر چلی گئیں۔ پردے کی اوٹ سے کوئی اسے دیکھ رہا تھا۔ اسے مسکراہٹیں عطا ہو رہی تھیں۔ جواب میں وہ بھی مسکرایا۔ ایک سفید ہاتھ چند شوخ پھول لیے باہر نکلا۔ پھول اس کے قدموں میں آگرے۔ دروازہ بند ہو گیا۔ اس نے پھول اٹھا کر سونگھے۔

اس نے سوچا کہ جب تک دنیا میں حسین چہرے ہیں۔ معطّر پھول ہیں۔ دلآویز مسکراہٹیں ہیں——زندگی کی دلچسپیاں کم نہیں ہوتیں۔

نئے شہر میں پہنچ کر دن بھر وہ تاریخی عمارتیں دیکھتا رہا۔ عمارتوں پر اَن گنت نام کُھدے ہوئے۔ چند نام مانوس معلوم ہوئے۔ یہ اس کے اپنے ملک کے لوگوں کے نام تھے۔ اس نے ہر جگہ تاریخی مقامات پر ناموں کی بھرمار دیکھی تھی۔ لوگ پرانی عمارتوں پر نام کیوں لکھتے ہیں؟ شاید اس امید پر کہ ان کے نام بار بار پڑھے جائیں اور سالہا سال تک محفوظ رہیں۔ یہ غیر فانی بننے کا مادہ ہے جو انسان کے دل میں ازل سے موجود ہے تب سے جب اسے موت سے شکست کھا جانے کا احساس ہوا! انسان غیر فانی بننے کے لیے ملک فتح کرتا ہے۔ عظیم الشان عمارتیں بنواتا ہے۔ نیک کاموں میں حصہ لیتا ہے۔ ایجادیں کرتا ہے۔ اپنے آپ کو کسی بڑی ہستی کے ساتھ منسوب کر کے عباسی، عثمانی چنگیزی کہلاتا ہے اور جب کچھ نہیں کر سکتا تو کسی تاریخی عمارت پر اپنا نام کھود کر خوش ہو لیتا ہے۔

اس نے پہلی مرتبہ باغوں میں سرخ گھاس دیکھی۔ باغ ایسے تھے جیسے خوشنما قالین بچھے ہوئے ہوں۔ خوشنما رَوشیں، پھولوں کے تختے، گھاس کے رنگین قطعے، درختوں کی قطاریں——ہر چیز بڑی فن کاری سے ترتیب دی گئی تھی۔ اس کے پاس چند تعارفی خطوط تھے۔ ایک شخص کو خط دیا تو اس نے شام کو رقص پر چلنے کو کہا اور بتایا کہ شہر کا اونچا طبقہ آئے گا، بڑی رونق ہو گی۔ وہ دونوں گئے۔ رقص گاہ کی سجاوٹ، بیش قیمت آرائشی سامان، بھڑکیلے معطر ملبوس اور مغرور چہروں نے اسے مرغوب کر دیا۔ وہاں ہر شخص ممتاز حیثیت کا مالک تھا۔ ہر حسینہ کے متعلق داستانیں سنی جا سکتی تھیں۔ ماحول نے اسے بے حد شرمیلا بنا دیا۔ وہ ایک کونے میں جا بیٹھا۔ اس کے نئے دوست نے ذرا سا عرق چکھنے کی دعوت دی۔ ”تم یہاں شرمانے کے لیے نہیں آئے ہو۔ ذرا سے عرق

سے یہ جھجک دور ہو جائے گی۔"

اس نے بتایا کہ اس نے پہلے کبھی نہیں پی، لیکن وہ مُصر رہا۔ اس سے پہلے بھی کئی مرتبہ اسے پینے پر مجبور کیا گیا تھا۔ ایسے لمحات میں جب وہ سب کچھ بھول جانا چاہتا تھا اور ایسے لمحات میں بھی جب مسرور دل خوشیوں کو طرح طرح سے محسوس کرنا چاہتا تھا لیکن اس نے غم میں بھی شراب سے اجتناب کیا تھا اور مسرت میں بھی۔

وہ کشمکش میں پڑ گیا۔ زندگی کا یہ تجربہ باقی تھا۔ وہ اس تجربے سے محروم نہیں رہنا چاہتا تھا۔ اس کے دوست کا اصرار بڑھا تو اس نے چند گھونٹ بھر لیے۔ ذائقہ کسیلا اور بدمزہ تھا۔

پھر اس کا دوست وہ افواہیں اور الٹے سیدھے قصّے سنانے لگا جو وہاں آئی ہوئی خواتین کے متعلق مشہور تھے۔ سب سے زیادہ افواہیں مادام کے بارے میں تھیں۔ اس نے غور سے دیکھا۔ مادام پختہ عمر کی عورت تھی۔ تندرست اور طویل قامت۔ اس کے سرخ رنگ پر سیاہ لباس خوب معلوم ہو رہا تھا۔ اس نے بہت سے قیمتی زیور پہن رکھے تھے۔ اس میں کوئی خاص جاذبیت نہ تھی۔ سوائے اس کے کہ وہ صحت مند تھی' اس کا لباس ضرورت سے زیادہ چست تھا اور وہ جہاندیدہ اور تجربہ کار معلوم ہوتی تھی۔ اس کے دوست نے ایک گلاس اور بھر کر دیا جسے وہ دوائے تلخ کی طرح منہ بنا کر پی گیا۔

جب سُرور آیا تو آس پاس کی ہر چیز پر جادو چھا گیا۔ اسے یوں معلوم ہوا جیسے وہ بے حد لطیف ہے۔ وہ چاہے تو ہوا میں دور تک اڑتا چلا جائے۔ اور یہاں جتنے اجنبی موجود ہیں وہ سب اسے جانتے ہیں۔ سب سے پرانی دوستی ہے۔ مادام کے چہرے کے نقوش دھندلے ہوتے گئے اور اس کا اپنا تخیلی حُسن مادام کے چہرے پر منتقل ہو گیا۔ لمحے لمحے کے بعد وہ جاذب نگاہ ہوتی گئی۔ اس میں اتنی کشش آگئی کہ وہ نہ رہ سکا۔ اس کے سامنے جا کھڑا ہوا۔ سر کی ہلکی جنبش کے ساتھ اس نے تعارف خود کرایا۔ مادام اپنے متعلق بتانے لگی تو اس نے بات کاٹ دی۔ "حسین چہرہ خود اپنا تعارف ہے۔"

مادام نے تعجب سے اس کی طرف دیکھا۔ موسیقی شروع ہونے والی تھی۔ اس نے رقص کے لیے کہا۔ وہ بڑی سرد مہری سے بولی۔ "جاؤ اپنی ہم عمر چُنو۔"

"ہم عمر ہی تو چُنی ہے۔ آؤ تمہیں آئینے کے سامنے لے چلوں۔"

وہ خاموش ہو گئی اور دوسری طرف دیکھنے لگی۔

"میں نے اس ملک کے حُسن کی بڑی تعریفیں سُنی تھیں۔ آج آنکھوں سے دیکھ لیا۔"

مادام نے ایسی نگاہوں سے اسے دیکھا جن میں غصہ اور حیرت ملے ہوئے تھے۔ جیسے وہ ایسی بے باک گفتگو کی عادی نہیں ہے اور ایک اجنبی کی یہ جسارت اسے ناگوار معلوم ہوئی ہے۔

موسیقی شروع ہوئی تو آگے بڑھ کر مادام کے بازو تھام لیے۔ وہ اس کی تعریفیں کر رہا تھا۔ اس کے حسن کی، زیوروں کی، لباس کی، اداؤں کی۔ وہ اسے شعر سنا رہا تھا۔

دوسرا رقص — تیسرا رقص — مادام کا روّیہ بدل گیا۔ اب وہ اس کی باتیں ایک دلآویز مسکراہٹ کے ساتھ سن رہی تھی۔ اس نے اسے اپنا خاوند دکھایا جو مشہور سیاستدان تھا۔ اس کے گول مٹول چہرے پر بغیر فریم کی عینک تھی۔ وہ زرق برق لباس پہنے کسی غیر ملکی سفیر سے بڑی سنجیدہ بحث کر رہا تھا۔

پھر دفعتاً اسے نظر آیا کہ مادام کے چہرے پر جھرّیاں ہیں جنہیں رنگ و روغن سے چھپایا گیا ہے۔ مادام کی دو ٹھوڑیاں ہیں اور وہ ضرورت سے زیادہ فربہ ہے۔ اس نے جلدی سے عرق کے چند گھونٹ بھرے اور مادام کی جھرّیاں غائب ہو گئیں اور چہرے پر ایک نئی شگفتگی اور تازگی آگئی جو پہلے نہیں تھی۔

رقص کرتے کرتے وہ پردوں کی طرف چلے گئے۔ ستونوں کے عقب سے ہوتا ہوا وہ مادام کو باہر لے آیا۔ برآمدے میں بڑی تیز روشنی تھی۔ سیڑھیاں اترتے ہوئے وہ بولی۔ "سامنے بڑا اندھیرا ہے۔"

"تمہارے چہرے کی جگمگاہٹ سے سب کچھ منور ہو جائے گا۔"

"تم اچھے اجنبی ہو۔ ابھی کہہ رہے تھے کہ تمہیں یہاں کی زبان نہیں آتی اور اب کتر کتر زبان چل رہی ہے۔ تم کتنے چالاک ہو — اور کتنے —"

فقرہ نامکمل رہ گیا۔

"چلو باغ میں بیٹھ کر باتیں کریں۔"

"نہیں میرا خاوند مجھے تلاش کر رہا ہو گا۔"

"تمہارا خاوند مدہوش ہے اور ایک نوعمر لڑکی کے ساتھ رقص کر رہا ہے۔"

وہ بولتا رہا۔ اس نے طرح طرح کی باتیں کیں۔ ہر موضوع پر' اور وہ سنتی رہی۔ جب آخری دفعہ وہ مادام کے ساتھ رقص کر رہا تھا تو اسے کچھ بھی محسوس نہیں ہو رہا تھا— مسرت افسردگی— بہجت— تھکان— غنودگی— کچھ بھی تو نہیں! وہ صرف یہ جانتا تھا کہ مادام کی شکل بار بار بدلتی تھی۔ اور اس نے بار بار عرق پیا تھا۔

جب وہ اپنے دوست کے ساتھ واپس لوٹا تو رات کافی گزر چکی تھی۔ وہ اسے اس کے ہوٹل میں چھوڑ گیا۔ کچھ دیر کمرے میں بیٹھا' لیکن سڑک کے پار موسیقی سنائی دے رہی تھی۔ سامنے ایک قہوہ خانہ تھا جہاں گھٹیا قسم کا رقص ہوا کرتا اور اوباش لوگ آتے تھے۔ وہ جانا نہیں چاہتا تھا مگر اس کے قدم خود بخود اسے لے گئے۔ وہاں ہلکا ہلکا معطر دھواں پھیلا ہوا تھا۔ مدھم سی پراسرار روشنیاں جل رہی تھیں۔ عجیب سے سازوں پر عجیب سی گت بج رہی تھی۔ سر کے زیروبم پر ساز تھراتے۔ گھنٹیاں بجتیں۔ ایک چھریرے جسم کی حسین لڑکی دف لیے رقص کر رہی تھی' جس کا رواں رواں پھڑک رہا تھا۔ وہ موسیقی اور اس مسحور ماحول کا ایک جزو معلوم ہوتی تھی۔ یہ پتہ چلانا مشکل تھا کہ پہلے رقص موسیقی سے ہم آہنگ ہوا تھا یا موسیقی رقص سے۔ ایسا ناچ اس نے پہلی مرتبہ دیکھا تھا۔ رقاصہ کی نگاہیں اس حد تک پہنچ رہی تھیں۔ وہ اسے بار بار دیکھتی تھی۔ تماشائیوں سے ہٹ کر وہ پردے کے پیچھے چلا گیا اور اوٹ سے دیکھنے لگا۔ زور کی جھنجھناہٹ کے ساتھ موسیقی ختم ہوئی۔ تالیاں بجیں۔ رقاصہ تماشائیوں کے سامنے جھک کر پردے کی طرف چلی۔ پردے کے پیچھے دو بازو منتظر تھے۔ وہ تھکی ہوئی تھی۔ اس نے پلکیں اٹھا کر اس کی طرف دیکھا اور کوئی مدافعت نہ کی۔ پینے کی دعوت پر پہلے انکار ہوا پھر مسکرا کر اقرار۔ دونوں ہوٹل میں چلے گئے۔

"نزدیک بیٹھو۔ اتنی دور کیوں ہو؟"

اس نے جنبش کی۔

"اتنی دور؟"

وہ سرک کر کچھ اور قریب آ گئی۔

"اب بھی بہت دور ہو۔"

وہ اور قریب آ گئی۔ اس نے گلاس اس کے ہونٹوں کو لگایا' رقاصہ نے ایک گھونٹ بھر کر اسی گلاس سے اسے پلائی۔

"تمہارا نام کیا ہے؟"

اس نے نام بتایا۔

"میں نے آج تمہیں کئی مرتبہ دیکھا۔"

"میں نے بھی تمہیں کئی مرتبہ دیکھا۔" اس نے جھوٹ بولا۔

"کیا تم سب اجنبی ایک جیسے ہوتے ہو؟ نڈر اور بے باک؟"

"اور کیا یہاں سب لڑکیاں ایک جیسی ہوتی ہیں؟ حسین اور چنچل؟"

"سب لڑکیاں؟" وہ اٹھلا کر بولی۔ "تم یہاں اور کس کس کو جانتے ہو؟"

"کئیوں کو!"

وہ دور جا بیٹھی۔ "کون ہیں وہ؟"

وہ انگلیوں پر گنوانے لگا۔ "ایک تم ہو' دوسری تم ہو' تیسری تم ہو' چوتھی' پانچویں' چھٹی سب تم ہو۔"

وہ کھلکھلا کر ہنسی اور قریب آ گئی۔ "مجھے اپنے ملک کے گیت سناؤ۔"

اور اس نے اپنے ملک کے گیت گا کر سنائے۔

آہستہ آہستہ نشہ اتر رہا تھا' طلسم ٹوٹ رہا تھا' رقاصہ کے ہونٹ پھیکے معلوم ہو رہے تھے۔ اس کی باتیں ناگوار معلوم ہو رہی تھیں۔

وہ بہت جلد رقاصہ کو واپس چھوڑ آیا۔ پھر ایک عجیب سی پشیمانی چھا گئی۔ اسے ملامت محسوس ہونے لگی۔ یہ بوسے کتنے پھیکے اور بدمزہ تھے۔ اس عرق کے ذائقے کی طرح کسیلے' تلخ— مادام اور رقاصہ دونوں کے بوسے ایک جیسے تھے۔ ان کی باتیں کس قدر عامیانہ تھیں۔ یہ سب کچھ کس قدر گھٹیا اور سستا تھا۔ زندگی میں پہلی مرتبہ اس نے ایسی حرکتیں کی تھیں جن کا وہ عادی نہیں تھا' جو ویسے وہ کبھی نہ کرتا۔ وہ سو نہ سکا— نیند اچاٹ ہو چکی تھی۔ رُوح کی تشنگی اور بھی بڑھ گئی۔ زندگی کا یہ تجربہ ناکام رہا۔

راستے میں ایک چوراہے پر اس نے سائن بورڈ پر شہروں کے نام پڑھے۔

ایک نام مانوس معلوم ہوا۔ یاد آیا کہ وہاں کے لیے ایک تعارفی خط تھا۔ کچھ فاصلے پر جنگلات کے محکمے کا ایک افسر رہتا تھا' اس کے نام۔ اس کا کوئی خاص ارادہ نہیں تھا۔ پھر بھی وہ سفر ملتوی کر کے اس طرف چل دیا۔ یہ شخص بہت اچھی طرح ملا۔ اس کا بنگلہ گھنے جنگلوں کے وسط میں تھا۔ آس پاس بالکل آبادی نہیں تھی۔ اتنے بڑے جنگل میں صرف دو انسان رہتے تھے۔ وہ اور اس کا ملازم۔ چاروں طرف نہایت خوشنما نظارے تھے' لیکن وہ دو تین دن کے قیام کے بعد تنگ آگیا۔ وہاں ایسی دلدوز تنہائی تھی کہ ہَول اٹھتی تھی۔ اس کے نئے دوست نے بتایا کہ وہ اس جگہ لگاتار دس سال سے ہے۔ ایک مرتبہ اس کا تبادلہ آبادی کے قریب ہوا تھا' لیکن وہ کچھ عرصے کے بعد پھر واپس یہیں چلا آیا۔ اسے جنگل بے حد عزیز ہیں۔ تنہائی کے بغیر وہ زندہ نہیں رہ سکتا۔ خاموشی پر جان دیتا ہے۔ جب کبھی شہر جانے کا اتفاق ہوتا ہے تو ایک ایک لمحہ گزارنا مشکل ہو جاتا ہے۔ اس کی عمر چالیس کے لگ بھگ ہے۔ وہ کنوارہ ہے۔ اس کے عزیز و اقارب بھی ہیں اور ان سے وہ کبھی کبھار ملتا بھی ہے' لیکن زیادہ دیر ان کے ساتھ نہیں رہ سکتا۔ جنگلوں میں اس کا خوب جی لگتا ہے۔ وہ اپنا کام دل لگا کر کرتا ہے اور پھر خاموشیوں اور تنہائیوں سے لطف اندوز ہوتا ہے۔ اسے اب کسی کی رفاقت کی خواہش نہیں۔ سب سے دور رہنا چاہتا ہے۔

اس کی باتیں بڑی دلچسپ تھیں۔ شاید اسے غموں سے دو چار ہونا پڑا ہو۔ شاید زندگی نے اس کے ساتھ برا سلوک کیا ہو۔ شاید اسے کسی عزیز ہستی نے دھوکہ دیا ہو— اس کا اشتیاق بڑھتا گیا۔ اس نے اپنا قیام طویل کر دیا۔ آخر ایک دن اس نے پوچھ ہی لیا۔

اجنبی نے بتایا کہ نہ تو ناکامیوں کا سامنا ہوا نہ ٹھوکریں لگیں۔ نہ کچھ اور ہوا۔ بس ایک ذرا سا واقعہ پیش آیا تھا جس نے اس کے خیالات پر اس قدر گہرا اثر کیا کہ وہ بالکل بدل گیا۔ پہلے وہ دوستوں اور عزیزوں کے بغیر پل بھر بھی نہیں رہ سکتا تھا۔ وہ محفلوں کی جان تھا۔ احباب کی آنکھوں کا تارا۔ پھر ایک دن اس نے سنا کہ اس کی محبوبہ مر گئی۔ محبوبہ جسے اس نے دل کے معبد میں مدّتوں بٹھائے رکھا۔ جس کی برسوں پرستش کی۔ وہ ایک حادثے سے مر گئی۔ اس نے جا کر دیکھا۔ وہ ایک مسلے ہوئے ہار کی

طرح پڑی تھی۔ ٹوٹے ہوئے کھلونے کی طرح۔ بے بس اور حقیر۔ پھر جیسے برسوں کی محبت اور پرستش ختم ہو گئی۔ وہ لطیف جذبات ختم ہو گئے۔ تب اسے معلوم ہوا کہ اسے اس کے ہونٹوں سے محبت نہیں تھی بلکہ نگاہوں کے وہ پیغام پسند تھے جو روح میں بجلیاں بھر دیتے تھے۔ اسے ہرگز اس سے الفت نہیں تھی۔ نہ جانے اسے کیا شے عزیز تھی۔ وہ کسی غیر مرئی شے پر مفتون تھا اور وہ شے زندگی تھی نہ حسن۔ وہ بجلیوں کی چمک تھی، لپکتے ہوئے شعلوں کی تڑپ تھی۔ ایسی شے جو محسوس کی جا سکتی ہے چھوئی نہیں جا سکتی۔

اس کے سامنے جو جسم پڑا تھا وہ بے جان اور کریہہ تھا۔ اس نے نفرت محسوس کی۔ اس کے بعد نہ جانے کیا ہوا' وہ تنہا رہنے لگا۔ اسے حُسن سے دلچسپی رہی' لیکن مستقل طور پر نہیں۔ طویل عرصے تک وہ اپنے کام میں منہمک رہتا۔ جب جنس لطیف کی رفاقت کی کمی شدت سے محسوس ہونے لگتی تو چھٹی لے کر شہروں میں نکل جاتا' جہاں وہ کچھ عورتوں کو جانتا تھا۔ واپس آ کر ایک طویل عرصے کے لیے سب کچھ بھلا دیتا۔ اس کے خیال میں عورت کی رفاقت ضروری تھی، لیکن ہر وقت نہیں۔ محض کبھی کبھی۔ ہر وقت کی رفاقت سے انسان اکتا جاتا ہے۔ اس کی ذہنی نشوونما پر بُرا اثر پڑتا ہے۔

"مگر یہ تنہائی؟"

"اتنے دنوں متواتر تنہا رہ کر اب میں تنہائی کو سمجھنے لگا ہوں اور وہ مجھے۔ اب ہم ایک دوسرے کی زبان سمجھتے ہیں۔ اب مجھے پرندوں اور جانوروں کی زبان آتی ہے۔ درختوں' ہواؤں اور چاند تاروں کی زبان آتی ہے۔ جب چیڑ کے درختوں میں سے ہوائیں گزرتی ہیں تو میں گھنٹوں سنتا رہتا ہوں۔ جب پہاڑوں کی چوٹیوں کو چھوتے ہوئے بادل مختلف شکلیں بناتے ہیں تو جان جاتا ہوں کہ ان کا مطلب کیا ہے۔ صبح صبح جب ننھے ننھے پرندے دریچوں میں چہچہاتے ہیں تو میں ان کی ایک ایک بات سمجھتا ہوں۔ پھول کھلتے ہیں تو شہد کی مکھیاں آ کر بہار کے نغمے سناتی ہیں۔ جب جنگل سو جاتا ہے تو خاموشی میں رات کی ہزاروں آنکھیں مجھے تکتی ہیں۔ میں تاروں کو دیکھتا رہتا ہوں اور وہ مجھے۔ یوں معلوم ہوتا ہے جیسے میں محفل میں بیٹھا ہوں۔ رات کی گہری

خاموشی میں مَیں نے طرح طرح کی صدائیں سنی ہیں، ایسی صدائیں جنہیں صرف انتہائی خاموشی پیدا کرتی ہے، کئی مرتبہ یہ صدائیں میرے دل سے نکلی ہیں۔ بارہا خاموشیوں میں مَیں نے اپنی روح کے تخلیق شدہ نغمے سنے ہیں۔ ہر صبح پرندوں کی سیٹیاں مجھے جگاتی ہیں۔ پرندے میرے تکیے پر آبیٹھتے ہیں۔ ان رفیقوں کے علاوہ میری لائبریری بھی ہے جہاں کئی پرانے دوست ہر وقت منتظر رہتے ہیں۔ جب میں پائپ سلگا کر کتابوں کی الماریاں کھولتا ہوں تو ادبی محفلیں جمتی ہیں۔ میرے محبوب شاعر مجھے اپنی نظمیں سناتے ہیں۔ اپنے پسندیدہ مصنّفین سے بحث کرتا ہوں—میری تنقید پر وہ بُرا نہیں مانتے۔ دوران گفتگو میں اونگھنے لگوں یا سو جاؤں تو وہ اٹھ کر چلے نہیں جاتے، اور وہ ہر وقت میرے منتظر رہتے ہیں—کون کہتا ہے کہ میں تنہا رہتا ہوں۔"

رخصت کرتے وقت اُس نے راستے میں آنے والے ایک مقام کا ذکر کیا، جہاں تہوار پر جشن منایا جا رہا تھا۔ ایک تعارفی خط دیا اور اصرار کیا کہ وہ ضرور وہاں قیام کرے۔ اگلے روز وہ پہنچا۔ شہر سے باہر پہاڑی پر باغوں میں جشن ہو رہا تھا۔ آج جشن کی آخری رات تھی۔ اس کا میزبان شام کو اسے ساتھ لے گیا۔ جب وہ پہاڑی پر پہنچا تو اسے یوں معلوم ہوا جیسے پریوں کے ملک میں پہنچ گیا ہو۔ بادام، شفتالو اور سیب کے درخت سفید اور گلابی کلیوں سے لدے ہوئے تھے۔ سوکھی سوکھی ٹہنیوں پر یہ حسین کلیاں نہایت پیاری معلوم ہو رہی تھیں۔ پھولدار پودوں میں رنگ برنگے قمقمے روشن تھے۔ رَوشوں کے ساتھ ساتھ گلاب کِھلا ہوتا تھا۔ قسم قسم کا گلاب۔ سرخ، زرد، آبی سفید، سیاہی مائل۔ سرو کے اونچے درختوں کی قطاریں دُور دُور تک چلی گئی تھیں۔ ہوا کا ہر جھونکا اپنے ساتھ ایک نئی خوشبو لاتا۔ کبھی کلیوں سے کبھی پھولوں سے، کبھی کسی پیراہن سے۔

باغوں کے وسط میں نازک ستونوں اور نفیس محرابوں کی ایک سبک عمارت تھی جہاں سب جمع تھے۔ ایک گوشے میں سازوں پر دھن بج رہی تھی۔ تعارف ہوا۔ اسے بطور اجنبی دوست پارٹی میں شامل کر لیا گیا۔ ایک خاتون آئیں اور اُسے نو عمر لڑکوں اور لڑکیوں کے گروہ میں لے گئیں، جہاں کھیل ہو رہے تھے۔ سب اس اجنبی کو

حیرت سے دیکھنے لگے جو باوجود غیر ملکی ہونے کے ان سے کچھ زیادہ مختلف نہیں تھا۔ گروہ میں شمالی حصوں کی لڑکیاں لڑکے بھی تھے جن کے خدوخال مختلف تھے' زبان مختلف تھی' سرو کی قطاروں میں سے گزر کر آگے میدان تھا' جس میں سنگِ مرمر کا ایک مجسمہ تھا۔ مجسّمے کے شانے پر صراحی تھی جس سے فوّارہ رواں تھا۔ قمقموں کی روشنی میں پانی کے قطرے مختلف رنگوں میں رنگے جاتے اور نہایت پیاری آواز کے ساتھ نیچے گرتے۔

پہلے تاش کے کھیل ہوتے رہے۔ پھر سازوں کے کھیل شروع۔ وہ اجنبی تھا اور نگاہوں اور توجہ کا مرکز بنا ہوا تھا۔ اسے بہت سی مسکراتی ہوئی آنکھیں دیکھ رہی تھیں۔ آنکھیں حسین تھیں' مگر سب ایک جیسی تھیں۔ دمکتے ہوئے چہرے بھی ایک جیسے تھے۔ پھر دو آنکھیں اس کی طرف اٹھیں۔ ان نگاہوں میں عجب نرالا پن تھا۔ اس چہرے میں عجب کشش تھی۔ ان لٹوں میں انوکھی جاذبیت تھی۔ لٹیں جو ماتھے پر پریشان تھیں' شانوں پر پریشان تھیں۔ وہ رسیلے گلابی ہونٹ جو صرف چومنے کے لیے تخلیق ہوئے تھے۔ وہ اجلی پیشانی اور رخسار جو صرف پیار بھرے لمس کے لیے بنے تھے۔ تیز جھونکا آیا' لٹیں بکھر گئیں اور کانوں میں پہنے ہوئے ستاروں کے وضع کے آویزے چمکنے لگے۔ اس نے باتیں کرنی چاہیں جواب ایک ہلکی سی مسکراہٹ کے ساتھ ملا۔ وہ اس کی زبان نہیں سمجھتی تھی۔ اگلے کھیل میں وہ پارٹنر بنے۔ درختوں میں بھاگتے ہوئے دور چلے گئے۔ فوارے کے پاس اس نے جان بوجھ کر دیر لگادی اور اسے غور سے دیکھا۔ یہ کیسا حسن تھا۔ یہ کیسی دلربائی تھی۔ اس حسن سے تو وہ پہلے کبھی بھی آشنا نہیں ہوا۔ یہ اجنبی حسن جس میں ہزاروں شعلوں کی تپش تھی اور چاند کی کرنوں جیسی ملائمت۔ سپیدۂ سحر کی نفاست۔ کنول کے پھولوں کا نستعلیق پن۔ اس حسن میں صحراؤں میں یکایک نظر آجانے والے سراب کی کشش تھی۔ شاید اسے نظر بھر دیکھنے کے لیے اس نے اتنا طویل سفر کیا تھا۔ جب وہ واپس لوٹے تو بہت سی لڑکیاں باغ کے دوسرے گوشے سے آگئیں اور وہ اس ہجوم میں اوجھل ہوگئی۔ تلاش کرتے ہوئے اس نے دیکھا کہ وہ ایک گوشے میں کھڑی اس کی طرف دیکھ رہی ہے۔ اگلے کھیل کے لیے پارٹنر چُنے جارہے تھے۔ سب کو کہا گیا کہ باغ میں دور دور نکل جائیں۔ ہر ایک اپنے لیے

ایک پھول توڑے۔ جن جن کے پھول ایک سے ہوں گے وہ پارٹنر بن جائیں گے۔ وہ لڑکیوں کے ساتھ چلی گئی جب لوٹی تو پاس سے گزرتے ہوئے ایک پھول اس کی طرف پھینک گئی۔ جب پھول پیش کیے گئے تو اسکا پھول نیلے رنگ کا تھا اور سارے پھولوں میں صرف ایک اور پھول اس قسم کا تھا۔

تاروں کو گننے کا کھیل شروع ہوا۔ اس نے پھر باتیں کرنی چاہیں، لیکن سر کی جنبش سے جواب ملا کہ وہ اس کی زبان نہیں سمجھتی۔ اسے مقامی زبان بھی نہیں آتی تھی۔ اسے کھیل کی ہدایتیں کسی اور زبان میں دی جاتی تھیں۔

درختوں میں چلتے چلتے وہ دور نکل گئے۔ اتنی دور جہاں قمقموں کی روشنی نہیں پہنچ سکتی تھی۔ جہاں موسیقی کی آواز اتنی مدھم ہو چکی تھی کہ محض تخیلی شے معلوم ہوتی تھی۔ اس کی پیشانی پر زلفیں پریشان تھیں۔ بل کھاتی ہوئی لہراتی زلفیں جن میں دو تاروں جیسے آویزے چمک رہے تھے۔

اور آسمان سے تارے جھانک رہے تھے۔ سرو کی چوٹیوں سے اٹکے ہوئے تارے، پتوں اور ٹہنیوں میں اُلجھے ہوئے تارے، ٹمٹماتے، جگمگاتے تارے۔ نیلے، سبز، سرخ، گول، نوکیلے تارے۔ ننھے منے اور بڑے بڑے تارے، جو ساکن تھے جو متحرک تھے۔

لب خاموش تھے اور آنکھیں گویا تھیں۔ آنکھیں محسوس کر رہی تھیں—— وہ احساسات جو زبان سے ادا نہیں کیے جا سکتے جنہیں صرف موسیقی ادا کر سکتی ہے۔ موسیقی جو دھیمی سروں میں نغمہ زن تھی، موسیقی جو آسمانی معلوم ہوتی تھی۔

تب اس کے اُجڑے ہوئے دل میں محبت پیدا ہوئی۔

کئی مرتبہ وہ ہجوم میں شامل ہوئے۔ کھیلوں میں شریک ہوئے۔ پھر واپس کُنجوں میں لوٹ آئے۔ فوارے کے قریب سے گزرے۔ مجسمہ مسکرا رہا تھا۔ پھواریں رنگ برنگے قطروں میں بکھری جا رہی تھیں۔

رباب کے تار سانس لے رہے تھے۔ نغمے کی دھڑکن سنائی دینے لگی۔ موسیقی زندہ ہو گئی تھی۔ ان دونوں کو ایک دوسرے کی زبان نہیں آتی تھی۔ پھر بھی نگاہوں نگاہوں میں جی بھر کے باتیں ہوئیں۔ زندگی بھر کی کہانیاں ایک دوسرے کو سنائیں۔ اب وہ اجنبی نہیں رہے تھے۔

اس کے ذہن میں طرح طرح کے نقوش ابھرنے لگے۔ ایک خوشنما گوشہ' چھوٹا سا مکان، چمنی سے نکلتا ہوا دھواں' سکون اور یہ چہرہ پھر صبح کا ہنگامہ' غنچوں کی چٹک' خنک ہوائیں' خوش الحان طیور کی نغمہ سرائی—اور یہ چہرہ—معطّر چاندنی راتیں' خاموشیاں' تنہائیاں—اور یہ چہرہ۔

چہرہ جو عمر بھر دعوتِ نظارہ دیتا رہے جس کی دلآویزی اور دل ربائی کبھی کم نہ ہو۔ کاش کہ یہ خواب حقیقت بن جائے۔ یہ سیل تھم جائے جس کی خاموشی میں اتنا جادو ہے اس کی گویائی کیسی ہو گی۔

مدّتوں کے بعد اس کی روح کے ویرانے میں بہار آئی۔ جو شعلہ برسوں سے بجھا ہوا تھا آج بھڑکا۔ ظلمتوں کے افق پر معصوم محبت طلوع ہوئی۔ نُور عود کر آیا۔

محبت کے شدید احساس کے ساتھ مستقبل کے پیارے خواب' رنگین تعبیریں' سہمی ہوئی امنگیں' وہ سب سحر کاریاں بھی عود کر آئیں۔ اسے عجیب عجیب خوش گوار حادثوں کی توقع تھی۔ جیسے نگاہوں کے یہ پیغام کبھی ختم نہ ہوں گے۔ اب یہ چہرہ اوجھل نہیں ہو گا۔ تپتے ہوئے صحراؤں میں جو کبھی کبھی سراب دکھائی دیا کرتا تھا۔ آج حقیقت بن گیا تھا۔ آج اس نے سراب کو پالیا تھا۔

تارے جھانکتے رہے۔ رباب پر وہ آسمانی دھن بجتی رہی۔ خوشبوئیں مچلتی رہیں۔ وہ دونوں ایک دوسرے کو دیکھتے رہے۔

پھر نئے کھیلوں کے لیے بلایا گیا۔ وہ کچھ دیر کے لیے جدا ہو گئی۔ چلتے چلتے اس نے ایک دفعہ مُڑ کر دیکھا۔ اس نے کھیل میں شرکت نہیں کی اور انتظار کرتا رہا۔ کھیل کے اختتام پر وہ واپس نہ لوٹی۔ وہ منتظر رہا' لیکن وہ نہ آئی۔ لمحے گزرتے گئے۔ دیر ہو گئی۔ وہ اب بھی نہ آئی۔

اس نے باغ کے گوشے گوشے میں تلاش کیا۔ ہجوم میں ڈھونڈا۔ اپنے میزبانوں سے پوچھا' لیکن وہ نہ ملی۔

پھر اس نے دیکھا کہ رات ڈھل چکی ہے۔ جشن ختم ہونے والا ہے اور لوگ

جا رہے ہیں۔ آنکھوں میں جستجو اور دل میں امید و بیم لیے وہ بدستور تلاش کرتا رہا۔ پہاڑی کے نشیب سے جب وہ باغ میں واپس آیا تو وہاں کوئی نہ تھا۔ سب جا چکے تھے۔

وہ درختوں کے جھنڈ میں گیا۔ لمبے لمبے تنہا درخت اداس کھڑے تھے۔ فوارہ خاموش تھا۔ پانی کی بوندیں صراحی سے گر رہی تھیں۔ پانی کے یہ قطرے مجسّمے کی آنکھوں سے بہتے ہوئے رخساروں پر پھسل رہے تھے۔ ٹپ۔ ٹپ۔ ٹپ۔ یوں معلوم ہوتا تھا جیسے مجسّمہ رو رہا ہو۔

دفعتاً اسے اپنا خواب یاد آگیا۔ خواب جسے وہ مدتوں سے دیکھتا آیا تھا۔ اس دھندلی سی پگڈنڈی پر ملنے والی حسینہ کے خدوخال بالکل ایسے ہی تو تھے۔ یہ وہی تو تھی جو ویرانیوں میں کچھ دیر کے لیے مل کر جدا ہو جاتی تھی۔ اس کا دل تلملانے لگا۔

خدایا یہ ابھی کون ملا تھا۔ یہ ابھی کون جدا ہوا تھا۔ یہ خواب تھا یا حقیقت۔ یہ کیا تھا؟ اس اجنبی آسمان کا کوئی فسوں؟ ان پراسرار خوشبوؤں کا جادو؟ یا موسیقی کا طلسم؟ وہ فسوں کہاں گیا۔ وہ موسیقی کہاں گئی۔ وہ خوشبوئیں کیا ہوئیں۔ وہ خوابوں کی حسینہ کہاں گئی۔

اس نے پچھلی رات کے زرد چاند کو نکلتے دیکھا۔ تاروں کی شمعیں مدھم ہوتی دیکھیں۔ پھیکی افسردہ چاندنی پھیلتی گئی۔ ہلکی ہلکی دھند کہیں سے آکر چھا گئی۔ بادلوں کے گالے اڑے جا رہے تھے۔ پھر تنہائی نے اسے گھیر لیا۔ وہ تنہائی جس سے سیّاح آشنا ہوتے ہیں۔ جو دبے پاؤں آتی ہے اور دفعتاً دبوچ لیتی ہے۔ خلوت ہو یا محفل جس کا وار کبھی خالی نہیں جاتا۔

.اس نے بہت کوشش کی کہ کسی طرح خیالات کا رخ بدل سکے۔ اپنے آپ کو بہلایا بھی کہ ابھی کچھ دیر میں سورج نکلے گا، روشنی پھیل جائے گی۔ چاروں طرف چہل پہل ہو گی۔ وہ نئی نئی چیزیں دیکھے گا، یا وہ سرحد کی طرف لوٹ جائے گا، اپنے وطن چلا جائے گا، جہاں وہ سب کچھ بھول جائے گا۔ اور سورج نکلنے میں زیادہ دیر نہیں ہے۔

لیکن تنہائی بڑھتی گئی۔ وہ اداسی گہری ہوتی گئی۔ شدتِ غم سے اس کا دل بیٹھنے لگا۔ وہ کیوں اس طرح مارا مارا پھرتا ہے۔ وہ کون سی بے چینی ہے، کون سا کرب ہے جو اسے سیاحت پر مجبور کیا کرتا ہے۔ کس درد کو وہ دل میں چھپائے یوں آوارہ پھرتا

ہے۔ سکون سے وہ کیوں خوفزدہ ہے۔ آخر یہ فرار کیوں؟اور یوں کب تک ہوگا؟

وہ اس شور مچاتی متحرک دنیا کا ایک بے حس جزو کیوں نہیں بن جاتا۔ وہ اس انبوہِ کثیر میں کیوں نہیں شامل ہو جاتا۔ کیا شے ہے جسے وہ یوں ڈھونڈتا پھرتا ہے۔ وہ اتنے انسانوں کو جانتا ہے' لیکن ان میں کوئی اس کا ہمدم و رفیق بھی ہے۔ دنیا میں کوئی ایسی چیز بھی ہے جسے وہ اپنی کہہ سکتا ہو۔ وہ ہمیشہ سراب کی تلاش میں رہا۔ ہمیشہ سراب اسے کھینچتا ہے۔ یہ کیسی کشش ہے؟

نشیب میں شہر کی روشنیاں ٹمٹما رہی تھیں۔ دھند نیچے اُتر آئی۔ روشنیاں مدھم ہو کر چھپ گئیں۔ بادلوں سے بے نور چاند نکلا اور بے نور تارے جھانکنے لگے۔ دھند میں طرح طرح کے سائے پھیل گئے۔ ہیولے متحّرک ہو گئے۔ اسے یوں محسوس ہوا جیسے وہ اس سیّارے کا پہلا انسان ہے۔ جیسے وہ اس سیارے کا آخری انسان ہے۔ وہ انسان جو تخلیق کو فنا سے ملاتا ہے۔ انسان جو صدیوں سے تنہا ہے' صدیوں سے بے تاب ہے۔

اس نے دیکھا کہ سامنے افق پر بادلوں نے ایک خوشنما قصر بنا رکھا ہے جس کی فصیلیں دُور دُور تک پھیلی ہوئی ہیں۔ مینارے آسمان سے باتیں کر رہے ہیں۔ قصر کے بڑے دروازے تک بل کھاتا ہوا راستہ جاتا ہے۔ بادلوں کے کناروں کو چُھوتا' حاشیوں کے ساتھ ساتھ چلتا' دھند میں سے گزرتا ہوا۔

اسے یاد آگیا— یہی قصر تو اس نے خوابوں میں دیکھا تھا— ہو بہو یہی تو تھا۔ کوئی چیز اس کے دل کو مسوسنے لگی۔ اس کی روح میں چٹکیاں لینے لگی۔ وہ اداسی شدید تر ہوتی گئی۔

دفعتاً بادلوں نے جنبش کی۔ قصر میں شگاف آگئے۔ برج منہدم ہو گئے۔ فصیلیں مسمار ہو گئیں۔ بل کھاتا ہوا راستہ شق ہو گیا۔ اسے یوں محسوس ہوا جیسے عمیق گہرائیوں میں اترتا جا رہا ہے— ایسی فضاؤں میں جہاں کچھ بھی نہیں تھا۔ جہاں صرف دلدوز تاریکی تھی۔

وہ ظلمتوں میں گرتا چلا گیا— جہاں صرف خلا تھا۔ ہولناک' نہ ختم ہونے والا خلاء۔

سنّاٹا

سال کی آخری رات تھی۔ ڈون، نِک اور مَیں —— ہم تینوں دوست محاذ سے سینکڑوں میل دور ایک ہوٹل کی رقص گاہ میں بیٹھے باتیں کر رہے تھے۔ وہ گوشہ ہمارا محبوب گوشہ تھا اور وہ میز بھی جس کے گرد چار کرسیاں تھیں۔ چوتھی کرسی جف کی تھی اور خالی تھی۔ جف کا ہوائی جہاز حملے کے بعد واپس نہیں آیا تھا اور کچھ دنوں پہلے اسے گم شُدہ قرار دے دیا گیا تھا۔

ہماری دوستی زیادہ پرانی نہیں تھی، لیکن محاذ کی رفاقت نے ہمیں گہرے دوست بنا دیا۔ ڈون نیوزی لینڈ کا تھا۔ نک اور جف کینیڈین تھے۔ ہم اکٹھے چھٹی لیتے اور اسی ہوٹل میں ٹھہرتے۔ رقص گاہ میں اسی میز کے گرد بیٹھتے۔ اس مرتبہ بھی طے ہوا کہ کرسمس پر ہم چاروں چھٹی لے کر اسی ہوٹل میں ملیں اور اسی میز کے گرد بیٹھیں۔ جف کے متعلق بری خبر ہم نے وہیں آکر سُنی۔ نِک اس کی چیزیں ساتھ لایا تھا۔ اس کا مفلر، دستانے اور رومال، جنہیں وہ گزشتہ ملاقات پر مانگ کر لے گیا تھا۔ میں جف کے لیے اپنے حصے کے چاکلیٹ بچا کر لایا تھا۔ اسے چاکلیٹ بہت پسند تھے۔

سال کی آخری رات تھی اس لیے ہوٹل میں خاص طور پر رونق تھی۔ ایک اطالوی گوّیا بلایا گیا تھا۔ ایک مشہور آرکیسٹرا اور چند رقاص مدعو کیے گئے تھے۔ رقص گاہ کو بڑی خوبصورتی سے سجایا گیا تھا۔ مصنوعی پھولوں کے گلدستے، مصنوعی بیلیں، سنہرے اور روپہلے تار، ننھے منے ستارے، رنگ برنگے غبارے، جگمگ جگمگ کرتا ہوا آرائشی سامان —— اتنے فانوس اور قمقمے روشن تھے کہ رات اور دن میں تمیز کرنا مشکل

تھا۔ آج موسیقی بھی مختلف تھی۔ رقص بھی مختلف تھا۔ ہر چیز میں شوخی تھی، چنچل پن تھا اور تنوع۔

ہجوم میں زیادہ تعداد ایسے لڑکوں اور لڑکیوں کی تھی جو ہماری طرح محاذ سے چھٹی پر آئے ہوئے تھے۔

ڈون کہہ رہا تھا۔ ''ہمارے پاس کوئی ایسی تصویر نہیں جس میں ہم چاروں اکٹھے ہوں۔ میرے پاس تو جف کی بھی تصویر نہیں۔ پچھلی مرتبہ میں نے کتنا اصرار کیا تھا کہ چاروں اکٹھے تصویر کھنچوائیں۔ خیر۔ اب جف آئے گا تب ضرور کھنچوائیں گے۔ خدا کرے وہ زندہ ہو۔ کاش آج یہاں ہوتا—ہمارے ساتھ—اپنی کرسی پر بیٹھ کر وہ ہمیں ہنساتا۔ طرح طرح کی باتیں سناتا۔ آج ہم کتنے مسرور ہوتے۔''

نِک بولا۔ ''میرا دل کہتا ہے کہ وہ زندہ ہے۔ جف جیسے لڑکے زندہ رہنے کے لیے پیدا ہوتے ہیں۔ جنگ ہو یا امن جف کو کوئی ایذا نہیں پہنچ سکتی۔ میرا دل گواہی دیتا ہے کہ وہ زندہ ہے۔''

''میں اس مرتبہ اس کے لیے کچھ بھی نہ لا سکا۔ آخری مرتبہ جب ہم ملے تھے تو وہ ایک نہایت قیمتی گھڑی خریدنا چاہتا تھا، لیکن اس کے پاس اتنی رقم نہیں تھی۔ اس نے مجھ سے قرض مانگا۔ میں نے محض یہ سوچ کر کہ یہ سراسر فضول خرچی ہے، ٹال مٹول کر دی۔ اس نے ضرور بُرا مانا ہوگا۔ مجھے رقم دے دینی چاہیے تھی، مگر اس کے پاس ایک گھڑی پہلے سے تھی۔ شاید وہ قیمتی گھڑی اسے بہت پسند آ گئی ہو۔ اسے ضرور بُرا معلوم ہوا ہوگا۔ اس مرتبہ میں ارادہ کر کے آیا تھا کہ وہی گھڑی خرید کر اسے تحفتاً دوں گا۔ میں کتنا پچھتا رہا ہوں دوست جب آنکھوں سے اوجھل ہوں تو کتنے یاد آتے ہیں۔''

''جف کتنا اچھا دوست ہے۔ کتنا مخلص، ہنس مکھ اور وسیع القلب۔ کسی بات کا بھی برا نہیں مانتا۔ اسے کچھ کہہ دو، خفا ہو جاؤ، مدتوں خط نہ لکھو، نظر انداز کر دو، پھر بھی جب ملے گا اسی گرم جوشی اور پیار سے۔ بالکل ویسے کا ویسا ہوگا۔ یہ اس کا رومال ہے، اس میں وہ دھیمی دھیمی خوشبو اب بھی آ رہی ہے جو جف کو پسند ہے۔ شاید جف بھی کہیں بیٹھا ہمیں یاد کر رہا ہو۔''

ہوٹل کا انگریز مالک ہماری میز پر آیا۔ ''لڑکوں کو شراب دو۔'' اس نے

بیرے سے کہا۔ ڈون نے معذرت کی۔ ”آج نہیں پئیں گے۔ آج ہمارا دوست ہمارے ساتھ نہیں ہے۔“

اطالوی گوّیا مائیکروفون کے سامنے آیا اور گانے لگا۔ وہ ایک بوڑھا شخص تھا۔ اس کے ہاتھوں کے اشارے، چہرے سے مختلف جذبات کا اظہار اور آواز کا زیر و بم شاہد تھے کہ گاتے وقت اپنی پوری قوت صرف کر رہا ہے۔ گانا ختم ہوا۔ تالیاں بجیں، وہ دو تین مرتبہ جھکا۔ اب جاز کی گت بجنے لگی جس پر لوگ جِٹر بگ ناچنے لگے۔

نِک اپنی یونٹ کی باتیں سنانے لگا۔ جہاں نک تھا وہاں تقریباً ہر روز بمباری ہوتی تھی۔ اس کی یونٹ میں ایک بے حد دلیر اور ہر دلعزیز لڑکا تھا۔ ”ایسا بہادر اور دلیر میں نے آج تک نہیں دیکھا۔ حملے میں وہ سب سے آگے ہوتا۔ اپنی آنکھوں سے اسے سنسناتی ہوئی گولیوں میں سے گزرتے دیکھا ہے۔ اسے ایسی جگہوں پر تنہا دیکھا ہے جہاں بموں کی بوچھاڑ ہو رہی تھی۔ ہر رات وہ دشمن کے علاقے میں گشت کے لیے جاتا۔ اس کی فولاد کی ٹوپی گولیوں سے چھلنی ہو جاتی، لیکن اسے خراش تک نہ آتی۔ اس کے لبوں پر ہمیشہ مسکراہٹ رہتی اور مسکراہٹ بھی ایسی جیسے اس کی روح میں رچ گئی ہو۔ میں نے جب بھی اسے دیکھا مسکراتے دیکھا۔ اسے دیکھ کر میرا سارا ڈر جاتا رہتا۔ مجھے یقین ہو جاتا کہ اسے دنیا کی کوئی طاقت گزند نہیں پہنچا سکتی اور اگر میں اس کے ساتھ رہا تو میں بھی بالکل محفوظ رہوں گا۔ ہمیشہ یہی کوشش کرتا کہ اس کے ساتھ رہوں۔ خطرناک سے خطرناک موقعوں پر بھی جب میں اسے بشاش دیکھتا تو مجھ میں کہیں سے ہمت آ جاتی اور میں بھی مسکرانے لگتا۔ ایک روز ہمیں پتہ چلا کہ حملے میں ہمارے ایک دستے کو نقصان پہنچا ہے۔ جب میں وہاں گیا تو مُردوں کو وہاں گنا جا رہا تھا۔ اور دفعتاً اس ڈھیر میں اسے بھی دیکھا۔ کچھ دیر تو مجھے یقین نہ آیا کہ یہ وہی ہے۔ وہ مر چکا تھا، لیکن اس کے چہرے پر وہی مسکراہٹ جُوں کی تُوں تھی! مُردہ لبوں کی مسکراہٹ۔ وہ نظارہ میری آنکھوں میں اب تک محفوظ ہے۔ میں زندگی میں اتنا کبھی نہیں ڈرا۔ راتوں کو خوف سے کانپا کرتا۔ اب بھی جب تنہائی میں وہ بے جان چہرہ اور وہ مسکراہٹ یاد آ جاتی ہے تو رونگٹے کھڑے ہو جاتے ہیں۔“

"ایک اور بات کا خیال تمہیں کبھی آیا۔" ڈون بولا۔ "محاذ پر جب گولیاں برس رہی ہوں تب اتنا زیادہ ڈر نہیں محسوس ہوتا۔ تب سارے جسم میں ایک حدت سی آجاتی ہے جو سب کچھ بھلا دیتی ہے۔ اس وقت کچھ بھی محسوس نہیں ہوتا لیکن سب سے ڈراؤنا وہ سناٹا ہے جو حملوں کے درمیان آتا ہے۔ میں آج تک نہیں سمجھ سکا کہ یہ خاموشی جو بظاہر بالکل بے خطر ہے اس قدر ہیبت ناک کیوں ہوتی ہے؟ تب دل بیٹھنے لگتا ہے۔ روح کو دہشت گھیر لیتی ہے۔ میں نے بڑے بڑے دلیر اور پرانے سپاہیوں کو اس سناٹے سے ڈرتے دیکھا ہے۔ ان کے چہرے زرد پڑ جاتے ہیں۔ اور وہ سناٹا ہوتا بھی کیسا ہے؟ جس میں اتنی سی آواز بھی نہیں آتی۔ ایک پتّہ تک نہیں ہلتا۔ جو ہر لمحے کے بعد گہرا ہوتا چلا جاتا ہے۔ یوں معلوم ہوتا ہے جیسے صدیاں بیت گئی ہوں۔"

ہوٹل کا مالک پھر آیا۔ "لڑکو! تم نہایت اداس ہو۔ اس رات غمگین ہونا گناہ ہے۔ وہ سامنے تین لڑکیاں تمہاری طرح اکیلی بیٹھی ہیں۔ ان سے باتیں کرو، رقص کرو، ہنسو، کھیلو۔ اچھا میں انہیں لاتا ہوں۔"

ہم نے ایک دوسرے کی طرف دیکھا۔ ہمارا جی بالکل نہیں چاہ رہا تھا۔ نِک بولا۔ "چلو تھوڑی دیر کے لیے سہی۔"

میری ہم رقص سُرخ بالوں اور سرخ ہونٹوں والی ایک لمبے قد کی لڑکی تھی جو کسی جہاز پر کام کرتی تھی۔ اس کے بال بکھرے ہوئے تھے اور بہکی بہکی باتوں اور آنکھوں کے خمار سے ظاہر تھا کہ وہ نشے میں ہے۔

وہ کہہ رہی تھی۔ "تم خاموش کیوں ہو اور اتنے آہستہ کیوں ناچ رہے ہو؟ جٹر بگ کرتے وقت یہ سوچنا چاہیے کہ جیسے قمیض میں بہت سی شہد کی مکھیاں اور تتیے گھس گئے ہیں اور تمہارے دونوں ہاتھ پیچھے بندھے ہوئے ہیں۔ اس حالت میں تم جو اچھل کود کرو گے وہ کرو۔ یہی جٹر بگ ہوگا! آؤ۔ اب ذرا تیز ناچنے لگو۔"

ناچ کے اختتام پر وہ بولی۔ "چلو بار تک چلیں۔" اس نے اصرار کیا کہ میں بھی پیوں۔ میں نے اسے بتایا کہ میں نے ابھی تک پینا شروع نہیں کیا، اسے یقین نہ آیا۔ "تو تم زندہ کیوں کر ہو؟ تم سچ مچ نہیں پیتے؟ تو تم نے زندگی نہیں دیکھی۔ تم نے کچھ بھی نہیں دیکھا۔ زندگی سے تمہیں پورا حصہ نہیں ملا۔ اچھا اگر ایک خاتون کہے تب بھی

انکار کرو گے— نہیں پیو گے؟ تو پھر تمہارے حصے کی میں پی لیتی ہوں۔ دراصل یہ تمہارا حصہ ہے۔"

موسیقی شروع ہو گئی اور ہم ناچنے لگے۔ ہر رقص کے اختتام پر وہ پینے کے لیے اصرار کرتی۔ اس کا چہرہ تمتما رہا تھا۔ آنکھوں کا خمار بڑھتا جا رہا تھا۔ پھر ایک رقص کے بعد اس نے کہا کہ میں اسے اس کے کمرے تک چھوڑ آؤں۔ جب ہم سیڑھیاں طے کر رہے تھے تو اس کے قدم ڈگمگا رہے تھے "مجھے سہارا دو۔" میں نے بازو سے اسے سہارا دیا۔

"تمہارے سیاہ بال اور سیاہ آنکھیں مجھے پسند ہیں اور تمہارا یہ زُہد— یہ بھی پسند ہے۔ مجھے دونوں بازوؤں سے سہارا دو۔ اگر ایک خاتون تم سے سہارا مانگے تو نہ دو گے کیا؟ تم ہر بات پر انکار کرتے ہو۔ یہ لو' یہ دروازے کی چابی ہے۔" میں نے دروازہ کھولا۔

"تمہارے ہاتھ کس قدر سرد ہیں۔ بالکل سرد اور بے جان۔ سچ مچ تم نے زندگی نہیں دیکھی۔ تم زندگی کے ہنگامے سے بہت دور رہے ہو۔ میری مانو تو پینا شروع کر دو۔ آج سے۔ ابھی سے۔ وہ اس صندوق میں بوتل رکھی ہے۔ ابھی نیا سال شروع ہو گا۔ آؤ اس خوشی میں ہم پیئیں۔ پھر انکار۔؟"

"یہ تمہاری انگلی میں کیا ہے؟" میں نے پوچھا۔

"منگنی کی انگوٹھی۔ عنقریب میری شادی ہونے والی ہے۔ میرا منگیتر دوسرے برِّاعظم میں ہے' لیکن وہ ہر دم میرے ساتھ رہتا ہے۔ ہر روز ہم ایک دوسرے کو خط لکھتے ہیں۔ ہر وقت اس کی تصویر میرے دل کے ساتھ لگی رہتی ہے۔ یہ دیکھو۔" اس نے گلے کے ہار میں پرویا ہوا لاکٹ دکھایا۔ "دیکھا کتنا وجیہہ اور حسین ہے؟ یہ مجھے جان سے زیادہ عزیز ہے۔ بے حد پسند ہے۔ لیکن تم بھی پسند ہو۔ تمہارے سیاہ بال اور سیاہ آنکھیں پسند ہیں۔"

"اس وقت تمہارا منگیتر تمہیں یاد کر رہا ہو گا۔"

"شاید! اور ممکن ہے وہ اس وقت نئے سال کی خوشی میں پی رہا ہو۔ شاید اس کا سَر کسی لڑکی کی گود میں ہو' جسے وہ میری تصویر دکھا رہا ہو۔ اس طرح وہ مجھے یاد کر رہا

ہو۔ جانتے ہو مجھے صرف ایک ہفتے کی چھٹی ملی ہے۔ اس کے بعد میں ہوں گی اور سمندر۔ جہاں آبدوز حملے کا ڈر رہتا ہے' جہاں آبی سرنگیں پھٹتی ہیں' جہاں ہوائی جہاز ہر وقت منڈلاتے رہتے ہیں۔ تم کچھ دیر اور میرے پاس بیٹھو۔ تمہارے ہاتھ کس قدر سرد ہیں۔ تم نے میرا کمرہ دیکھ لیا ہے۔ میں تمہارا انتظار کروں گی۔ ابھی مت جاؤ' اگر ایک خاتون تمہاری رفاقت چاہے تو کیا تم انکار کرو گے؟"

پھر ہم تینوں اسی میز کے گرد بیٹھے تھے۔ ڈون ہمارے سگریٹ سلگانے لگا۔ اس نے دو سگریٹ سلگا کر دیا سلائی بجھا دی اور اپنے سگریٹ کے لیے نئی دیا سلائی جلائی۔

"نرے وہمی ہو۔" نِک بولا۔ "بھلا تین سگریٹ اکٹھے جلانے میں کیا حرج ہے۔"

"بُرا شگون ہے۔"

"یونہی مشہور کر رکھا ہے یہ پہلی جنگ عظیم سے شروع ہوا تھا۔ دراصل قصّہ یوں ہے کہ محاذ پر رات کو تین دوستوں نے سگریٹ نکالے۔ ایک نے دیا سلائی جلا کر پہلا سگریٹ سلگایا۔ کوئی دشمن سپاہی نزدیک تھا۔ وہ روشنی دیکھ کر چونکا جب دوسرا سگریٹ جلایا جا رہا تھا تو اس نے بندوق سے شِست لی اور تیسرا سگریٹ سلگاتے وقت گولی چلا دی — اور تینوں میں سے ایک کو لے لیا۔"

"کچھ بھی ہو — شگونوں پر میرا اعتقاد ہے۔ ابھی چند ہفتے گزرے میری منگیتر کی تصویر بلاوجہ فرش پر گری اور چکنا چور ہو گئی۔ کچھ دن کے بعد مجھے معلوم ہوا کہ اس نے شادی کر لی۔"

"شادی کر لی؟" ہم چونک پڑھے۔ "کس سے؟"

"ایک لکھ پتی سے — جو معمر ہے' فربہ ہے' گنجا اور بھدا ہے' لیکن اس کے پاس دنیا بھر کی آسائشیں ہیں۔ بھلا میرے پاس کیا تھا؟ سوائے محبت کے۔ اور محبت جیسی سستی اور عام شے کہاں نہیں مل سکتی۔ حسن بغیر تشہیر کے نہیں چمکتا۔ اور اگر وہ میری ہو جاتی تو اس کا حُسن گُھٹ کے رہ جاتا۔ مُرجھا کے رہ جاتا۔ سُنا ہے کہ اب ملک بھر

میں اس کے حسن کے چرچے ہیں۔ جہاں جاتی ہے پروانے نثار ہوتے ہیں۔ اس نے نہایت موزوں انتخاب کیا ہے۔ مجھے اس سے کوئی شکایت نہیں، لیکن وہ تو آرٹ پر جان دیتی تھی۔ آرٹ اس کی زندگی کا مقصد تھا۔ تبھی میں اسے پسند تھا۔ ایک آرٹسٹ کی رفاقت پر وہ دنیا کی سب نعمتیں چھوڑنے کو تیار تھی۔ پتہ نہیں اس نے ایسا کیوں کیا؟ وہ کہتی تھی کہ میں عمر بھر تمہارا انتظار کروں گی۔ شاید یہ چار سال کی جدائی تھی جس نے اس کے خیالات بدل دیے۔ میں چار سال سے سمندر پار رہا ہوں اور چار سال میں کیا کچھ نہیں ہو سکتا۔ محبت بھرے دل بدل سکتے ہیں۔ شاید اس نے سوچا ہو گا کہ میں بے حد غریب ہوں۔ میرے پاس کچھ بھی تو نہیں۔ یا شاید وہ شخص اس کے دل میں سما گیا جو لکھ پتی ہے جو معمّر اور بھدّا ہے۔"

اطالوی گویّا بڑی درناک لَے میں کوئی محبت بھرا گیت گا رہا تھا۔ لوگ باتیں کر رہے تھے۔ چاروں طرف مسرور چیخیں تھیں اور بلند قہقہے۔

ڈون نے ایک طرف اشارہ کیا۔ پردے کے پیچھے سے دو چہرے جھانک رہے تھے۔ یہ ہوٹل کے ملازم تھے جو کچن میں کام کرتے تھے۔ "ان کے چہرے کتنے سہمے ہوئے ہیں؟ ان کی آنکھوں سے وحشت جھلک رہی ہے۔ ان کی پژمردگی تو دیکھو۔ اور پھر کس طرح چھپ کر دیکھ رہے ہیں؟ آخر اس راگ رنگ میں ان کا بھی تو حصہ ہے۔" اس کی آنکھوں میں آنسو آ گئے۔ "پہلے میں کتنا سنگ دل تھا اور اب ذرا ذرا سی بات پر آنسو آ جاتے ہیں۔ اس اطالوی گویے کو دیکھو۔ یہ ایک آرٹسٹ ہے جو پورے خلوص سے اپنے فن کا مظاہرہ کر رہا ہے۔ کیا یہ مسرور ہے؟ ایک بوڑھا شخص بار بار ہجوم کے سامنے درد بھرے نغمے گاتا ہے۔ ایسے لوگوں کے سامنے جن کی توجہ کہیں اور ہے، جو اسے بالکل نہیں سن رہے۔ جو شور مچا رہے ہیں۔ اپنا غم غلط کرنے کی کوشش کر رہے ہیں۔ خدایا، انسان کس قدر غمگین ہے۔ زندگی کیسا عجیب مضحکہ انگیز تماشا ہے۔ کتنا کٹھن سفر ہے۔ جینا کتنا مشکل ہے۔ یہاں رنج والم کی بارش ہے، حزن ہی حزن برستا ہے۔ قدم قدم پر مصیبتیں ہیں۔ کبھی اپنی غلطی سے، کبھی حادثے ہو جاتے ہیں، تو کبھی قسمت دغا دیتی ہے۔ کبھی دوست ہے تو کبھی دشمن۔ کبھی انسان ہے تو کبھی خدا——"

"ڈون! تم ہی تو کہا کرتے تھے کہ زندگی بذات خود کچھ بھی نہیں، محض ایک خلا ہے۔ یہ ہر انسان کا اپنا زاویہ نگاہ ہے جو زندگی میں رنگ بھرتا ہے یا ظلمتیں بکھیرتا ہے۔ تم نے ایک مرتبہ مثال بھی دی تھی کہ بیمہ کمپنی کا ایجنٹ جب زندگی کے متعلق گفتگو کرتا ہے تو ہمیشہ موت سے شروع کرتا ہے اور موت پر ختم کرتا ہے۔ وہ ان لوگوں کو خوش نصیب سمجھتا ہے جو بیمہ کراتے ہی مر گئے اور ان کے وارثوں کو بڑی بڑی رقمیں ادا کی گئیں—— وہ ایسی خوش نصیبی کی سب کو دعوت دیتا ہے۔ لیکن یہ بھی صحیح ہے کہ وہ برا آدمی ہرگز نہیں ہے، وہ کسی کا برا نہیں چاہتا۔"

"یہ سب درست ہے۔ کاش کہ میں اتنا حسّاس نہ ہوتا۔ کاش کہ میں اتنا جذباتی نہ ہوتا۔ آؤ ہم کسی اور موضوع پر باتیں کریں۔"

بڑا دروازہ کھلا اور ایک حبشی داخل ہوا۔ وہ کچھ دیر کھڑا ہجوم کا جائزہ لیتا رہا جیسے کسی شناسا کو تلاش کر رہا ہو۔ پھر ایک کونے میں اکیلا بیٹھ گیا۔ اس نے اپنی پتلون کی جیب میں سے بوتل نکالی اور نصف خالی کر دی۔

ہمیں یونہی خیال آ گیا کہ اسے بلا لیں۔ جف کی کرسی خالی تھی۔ ہم نے اسے بلا لیا۔ وہ شکریہ ادا کرتے ہوئے ہمارے سامنے آ بیٹھا۔ اس نے اپنا تعارف کرایا۔ "میرا نام ڈارلنگ ہے۔"

"تب تو تمہارے مزے ہیں۔ ہر کوئی تمہیں ڈارلنگ کہتا ہو گا۔"

"نہیں! محض ڈارلنگ کوئی نہیں کہتا۔ مسٹر ڈارلنگ کہتے ہیں۔ ویسے مجھے ڈار کی کہا جاتا ہے رنگ کی وجہ سے۔ لیکن میں بالکل بُرا نہیں مانتا، کیونکہ اس میں میرا قصور نہیں ہے۔"

اس نے ہمیں بتایا کہ اس کا ہوائی جہاز شام کو پہنچا تھا۔ اسے صرف چند گھنٹوں کی چھٹی ملی ہے اور وہ محاذ پر جا رہا ہے۔ اس نے بوتل نکالی، ہمیں پینے کو کہا۔ ہمارے انکار پر اس نے بقیہ بوتل بھی خالی کر دی۔ وہ اپنے متعلق سنا رہا تھا کہ ان چند سالوں میں دنیا کے سب بڑے بڑے شہر اور مشہور ملک دیکھ چکا تھا۔

"پہلے پہل یہ سب کچھ بہت اچھا معلوم ہوا کرتا۔ نئے نئے شہر، نئے نئے

برا عظم' نئے نئے لوگ۔ بے حد لطف آتا تھا' لیکن بہت جلد جی بھر گیا۔ دیکھا جائے تو دنیا میں کل چار پانچ قسم کے نظارے ہیں۔ سمندر' پہاڑ' جنگل' صحرا اور میدان! کہیں سمندر اور جنگل ہیں تو کہیں پہاڑ اور جنگل۔ کہیں میدان اور پہاڑ ہیں تو کہیں صحرا اور پہاڑ — بس! بار بار ایک ہی قسم کے نظارے سامنے آتے ہیں۔ دنیا کے سارے شہر ایک دوسرے سے ملتے جلتے ہیں۔ وہی ریل کا اسٹیشن۔ دو چار بڑے بڑے چوک' جن میں مشہور لوگوں کے مجسّمے — سینما ہال۔ ایک آدھ چڑیا گھر یا عجائب گھر — دو تین مشہور عمارتیں — بالکل ایک قسم کے ہوٹل — اور ہوٹل میں ایک سی لڑکیاں۔ میرے خیال میں دنیا کے تمام ہوٹلوں میں ایک جیسی لڑکیاں ہیں۔ وہی میک اپ' جس سے اصلی شکل کا پتا چلانا مشکل ہو جاتا ہے۔ وہی عامیانہ باتیں۔ اور وہی پریڈ نُما رقص! اب تو مَیں اپنے گھر جانا چاہتا ہوں۔ میں ناشکرا تھا۔ ہمیشہ اپنے چھوٹے سے قصبے کو کوستا رہتا تھا۔ وہاں سے باہر نکلنا چاہتا تھا۔ لیکن اب۔ اب ایک مرتبہ واپس چلا جاؤں تو عمر بھر نکلنے کا نام تک نہ لوں گا۔"

وہ اپنی یُونٹ کے افسروں کی باتیں کرنے لگا۔ ان کی برائیاں کر رہا تھا۔ باری باری ایک ایک کی خامیاں اور کمزوریاں بتاتا اور بار بار ہنستا۔ شروع میں ہم نے بھی اس کا ساتھ دیا۔ پھر ہم خاموشی سے سنتے رہے اور وہ ہنستا رہا اور یہ بتاتا رہا کہ اس کی یونٹ میں ہر شخص احمق ہے' آرام طلب اور کوڑ مغز ہے۔ کسی کو کچھ بھی نہیں آتا۔ کوئی کچھ بھی کرنا نہیں چاہتا۔

اس نے اپنی جیکٹ کی جیب سے نئی بوتل نکال کر نصف خالی کر دی اور بولا۔ "جانتے ہو میں یہ سب کچھ کیوں کہہ رہا ہوں؟ اس لیے کہ میں بزدل ہوں۔ پرلے درجے کا نکما اور کم حوصلے والا۔ اپنے رفیقوں کی برائیاں کر کے میں اپنے آپ کو تسلی دیا کرتا ہوں' میرے دل کو تقویت پہنچتی ہے۔ جب کبھی میں دنیا کے بڑے آدمیوں کی مصیبت بھری داستانیں پڑھتا ہوں تو میرے چہرے پر مسکراہٹ آجاتی ہے اور دل میں ایک عجیب سی خوشی۔ دراصل میرے ہم قوم نہایت معمولی اور سُست لوگ ہیں۔ نسلیں گزر گئیں اور ہم نے کچھ بھی نہیں کیا۔ ہم سب بڑے خدا پرست' وہم پرست اور ایماندار ہیں — ہم بالکل بزدل ہیں۔"

وہ رقص میں شامل ہو گیا اور بڑے انہماک سے ناچتا رہا۔ واپس آ کر اس نے گھڑی دیکھی۔ ابھی دو گھنٹے کی چھٹی باقی تھی وہ پھر ناچنے لگا۔

اس مرتبہ واپس آیا تو ہوٹل کا مالک اس کے ساتھ تھا۔ وہ کرسی کھینچ کر ہمارے ساتھ بیٹھ گیا۔ ڈارلنگ کے بازو پر لگے ہوئے نشانوں کو دیکھ کر اس نے یونٹ کا نام پوچھا۔ ''تب تو تم جیک کو جانتے ہو گے؟'' اس نے جیک کا پورا نام بتایا۔

ڈارلنگ نے اثبات میں سر ہلایا۔

''آج کل وہ کہاں ہے؟ — اور کیسا ہے؟''

''کئی مہینوں سے میں یونٹ سے باہر ہوں۔''

''جیک میرا لڑکا ہے۔ میرا اکلوتا بچہ! وہ اپنے کالج میں تھا کہ اسے بھرتی کر لیا گیا۔ بس تمہاری عمر کا ہو گا۔ دراز قد' چھریرا جسم' نہایت ہی معصوم چہرہ' ایسی بھولی بھالی باتیں کرتا ہے جیسے ننھّا منّا سا بچّہ ہو۔ اس کی امی اور میں ہم دونوں بس اسی کے لیے زندہ ہیں۔ ہم دونوں بوڑھے ہو چکے ہیں۔ اب ہمیں آرام کی ضرورت ہے' لیکن جیک کی پڑھائی باقی ہے اس لیے میں بھی کام کرتا ہوں اور اس کی امی بھی۔ میں یہاں ہوں اور اس کی امی وطن میں ہے۔ پچھلے سال وہ ہمیں ملا تھا' ہوا باز کی وردی میں۔ کس قدر شاندار معلوم ہو رہا تھا۔ جب وہ بھرتی ہوا تو بالکل لڑکا سا تھا۔ اتنے تھوڑے سے عرصے میں ایک تجربہ کار نوجوان دکھائی دے رہا تھا۔ وہ اپنی نئی زندگی اور نئے دوستوں کی باتیں سناتا رہا۔ اپنی امی کی تشویشناک باتوں پر وہ بار بار کہتا تھا کہ امی تم میرے متعلق فکر نہ کیا کرو۔ تمہاری دی ہوئی انجیل ہر وقت میرے سینے کے ساتھ لگی رہتی ہے۔ میں اسے اپنے دل کے سامنے والی جیب میں رکھتا ہوں۔ بلاناغہ اسے پڑھتا ہوں۔ سونے سے پہلے ہمیشہ دعا مانگتا ہوں۔ خدا میری حفاظت کرے گا اور مجھے یقین ہے کہ خدا ضرور اس کی حفاظت کرے گا۔ ایسے نیک اور معصوم لڑکے کی جو ہمارا اکلوتا بچہ ہے۔ جس کے لیے ہم زندہ ہیں۔ جس نے آج تک جھوٹ نہیں بولا' کسی کا دل نہیں دکھایا' کسی کو نقصان نہیں پہنچایا۔ دنیا بھر میں اس کا ایک بھی دشمن نہیں۔ بھلا وہ تمہیں آخری مرتبہ کب ملا تھا؟''

"کافی دن ہو گئے۔ میں دو تین مہینوں سے یونٹ سے باہر رہا ہوں۔"

"بچپن سے وہ کتنا ذہین اور سمجھ دار تھا۔ آج تک کبھی اس نے ضد نہیں کی۔ نہ ہمارے سامنے کوئی سخت لفظ کہا۔ جو کچھ ہم اسے کہتے فوراً مان لیتا۔ مجھے رات کو کام میں دیر ہو جاتی تو وہ چپکے سے میرے پاس آ کھڑا ہوتا اور کہتا کہ ابا کچھ کام مجھے دے دیجیے میں کر دوں گا۔ ہر صبح مجھے آ کر جگاتا۔ آہستہ سے صبح بخیر کہتا۔ ننّھا منّا سا کتنا پیارا معلوم ہوتا۔ اس کے چہرے کی مسکراہٹ دیکھ کر یوں محسوس ہوتا جیسے میں نے طلوع ہوتے ہوئے سورج کی کرنیں دیکھ لی ہیں۔ ایک دفعہ میری چھڑی کہیں گم ہو گئی۔ میں نئی خریدنا چاہتا تھا اور مقامی دکان میں ایک چھڑی مجھے پسند بھی تھی، لیکن وہ بہت مہنگی تھی۔ اس لیے میں نے نہیں خریدی۔ پھر میری سالگرہ آئی اور جیک نے مجھے تحفہ دیا۔ وہی چھڑی! وہ کئی مہینوں سے اپنا جیب خرچ بچاتا رہا تھا۔ خدا نے آج تک اسے طرح طرح کے حادثوں سے بچایا ہے۔ اسے دو مرتبہ موٹر کے حادثے پیش آئے۔ ایک دفعہ موٹر سائیکل نے اسے گزوں دور پھینک دیا، لیکن اسے خراش تک نہ آئی۔ پھر ایک مرتبہ جب وہ ننھا سا تھا، سمندر کے کنارے کھو گیا۔ رات بھر اسے ڈھونڈتے رہے۔ سخت سردی تھی اور رات بھر آندھی چلتی رہی۔ اگلے روز وہ ہمیں بالکل صحیح سلامت مل گیا۔ اسی طرح کئی مرتبہ خدا نے اسے آفتوں سے محفوظ رکھا ہے۔ پچھلے سال اس نے اپنی امی کو لکھا تھا کہ اتوار کو ہوائی جہاز سے شہر کے اوپر سے گزروں گا۔ اگر موقعہ ملا تو کچھ دیر کے لیے گھر آؤں گا۔ لیکن اسے موقعہ نہ مل سکا۔ اس کی امی دریچے میں کھڑی دیکھتی رہی اور وہ مکان کے اوپر سے ہوائی جہاز میں گزرا۔ اس نے خط لکھا تھا کہ میرا کمرہ تیار رکھنا۔ میں سوتے وقت گرم دودھ کا پیالہ پیوں گا اور صبح اٹھ کر اپنے روئیں دار ملائم سلیپر پہنوں گا۔ اس کی امی ہر روز جیک کا کمرہ سجاتی ہے۔ ہر رات وہ دودھ گرم کر کے رکھتی ہے۔ جیک کے ملائم سلیپر اس کے بستر کے ساتھ رکھے ہیں۔ ہمارا پرانا کتّا مر گیا۔ لیکن جیک کی امی نے نیا کتّا نہیں رکھا کہ جیک آئے گا تو نیا کتّا اسے اجنبی سمجھ کر بھونکے گا۔ وہ رات کو دروازے کی روشنی بھی نہیں بجھاتی۔ اب تو اس نے کہیں دور آنا جانا بند کر دیا ہے کہ نہ جانے کس وقت جیک آ جائے اور اسے دقّت ہو۔ انتظار کرنا پڑے۔"

وہ دیر تک بیٹھا اپنے لڑکے کی باتیں سناتا رہا۔ جب ڈارلنگ اپنا بل ادا کرنے لگا تو اس نے منع کر دیا۔ ”تم جیک کے دوست ہو۔ اس لیے میرے مہمان ہو۔ جب اس سے ملو تو نئے سال کی مبارک باد دینا اور کہنا کہ تمہارے والدین تمہارے منتظر ہیں اور تمہارے لیے دعا گو ہیں۔“ کچھ دیر کے بعد وہ اٹھ کر چلا گیا۔

سب اپنی اپنی گھڑیاں دیکھ رہے تھے۔ سال ختم ہو رہا تھا۔ چند منٹوں کے بعد جب نیا سال شروع ہوا تو شور مچ گیا۔ گھنٹیاں بجنے لگیں۔ کمرہ نغموں سے گونج اٹھا۔ ہم نے ایک دوسرے کو مبارک باد دی۔

ڈون نے ڈارلنگ سے پوچھا۔ ”تم جیک کے متعلق کچھ چھپا رہے تھے۔ کہاں ہے وہ؟“

”وہ ایک حملے میں میرے ساتھ تھا۔ میرے سامنے اس کے سینے میں گولی لگی۔ اس کی اوپر کی جیب میں انجیل تھی۔ گولی انجیل کو چیر کر اس کے دل میں اتر گئی۔ جنگ بڑی ہولناک چیز ہے۔“

آرکیسٹرا بڑی مسرور دھن بجا رہا تھا۔ لوگ زور زور سے گا رہے تھے۔ کچھ لڑکیاں قریب سے گزرتی ہوئی چمکیلے تار اور ستارے ہم پر پھینک گئیں۔

ڈارلنگ اٹھا۔ اس کی چھٹی ختم ہونے کو تھی۔ اس نے ہمارا شکریہ ادا کیا۔ رخصت ہوتے وقت اس کی آنکھوں میں آنسو آ گئے۔ ”میں جتنا بزدل اور نکما ہوں، اتنا ہی جذباتی بھی ہوں۔ واقفوں سے رخصت ہوتے وقت کوئی میرے دل کو مسوسنے لگتا ہے۔“

جب وہ بڑے دروازے کی طرف جا رہا تھا تو پیچھے مڑ مڑ کر دیکھ رہا تھا۔ گزرتے لمحوں کے ساتھ ساتھ پینے والوں کا خمار بھی بڑھ رہا تھا۔ لوگ بہک رہے تھے جب کوئی بالکل مدہوش ہو جاتا اور مضحکہ خیز حرکتیں کرنے لگتا تو اس کا خوب مذاق اڑتا۔ فقرے کسے جاتے، تالیاں بجتیں۔

یکایک ایک طرف اشارے ہونے لگے۔ سب کے سب ایک شخص کی جانب متوجہ ہو گئے۔ اس کی ایک ایک حرکت پر قہقہے لگتے، تالیاں بجتی تھیں۔ وہ کافی پینے کی

کوشش کر رہا تھا۔ بڑے اطمینان سے چمچہ اٹھاتا اور شکر لے کر دودھ دانی میں ڈالتا۔ پھر ایک خالی پیالے کو اٹھا کر دودھ دانی میں انڈیلتا اور چمچے سے ہلانے لگتا۔ لوگ ہنستے تو جلدی سے چمچہ چھوڑ دیتا۔ معلوم ہوتا تھا کہ وہ نشے میں دھت ہے۔

کچھ دیر بعد چپکے سے چمچہ لے کر دودھ دانی سے دو چمچے دودھ گلاس میں ڈالتا اور تھوڑی سی کافی بھی انڈیلتا۔ لوگ تالیاں بجاتے' فقرے کستے تو وہ فوراً سب کچھ ملتوی کر دیتا۔ پھر اس کا ہاتھ لگتا اور کوئی برتن گر پڑتا — وہ جلدی سے رومال لے کر میز پونچھنے لگتا۔ پھر قہقہے لگتے۔

وہاں جتنے لوگ تھے سب اس کی طرف دیکھ رہے تھے۔ جب وہ کچھ شروع کرنے لگتا تو سب چُپ ہو جاتے' پھر ایک دم شور مچتا۔

دفعتاً اٹھا' خالی خالی نگاہوں سے اِدھر اُدھر دیکھنے لگا۔ شور بند ہو گیا۔ وہ بولا۔

"دوستو! مجھے معاف کرنا' مجھے کچھ دکھائی نہیں دیتا۔ بم کے ایک ٹکڑے نے میری بینائی چھین لی ہے۔ میں بالکل اندھا ہوں' ورنہ کبھی یوں نہ کرتا۔ دوستو! مجھے معاف کر دو۔"

اتنے میں ایک شخص دوسرے کمرے سے آیا اور اسے بازو کا سہارا دے کر ساتھ لے گیا۔

پھر ساز بجنے لگے۔ لوگ گانے لگے اور رقص شروع ہو گیا۔

محاذ سے سینکڑوں میل دُور — مچلتے نغموں' مسرور قہقہوں' رقص و سرود کے طوفان میں وہ سناٹا طاری تھا جو میدانِ جنگ میں بندوقوں اور توپوں کے شور اور چیخوں کے بعد چھا جاتا ہے۔ جو ہر لمحے کے بعد گہرا اور ہولناک ہوتا چلا جاتا ہے۔ جس سے چہرے زرد پڑ جاتے ہیں' دل بیٹھنے لگتا ہے اور روح کو دہشت گھیر لیتی ہے۔

جینی

ہوائی جہاز پر سوار ہوتے وقت مجھے کچھ شبہ سا ہوا۔ نیلے لباس والی لڑکی سے پوچھا تو اس نے بھی اثبات میں سر ہلایا۔ جب ہم جہاز سے اترے تو مجھے یقین ہو گیا اور میں نے پائپ پیتے ہوئے آکسفورڈ لہجے میں انگریزی بولتے ہوئے پائیلٹ کو دبوچ لیا۔ ہم مدتوں کے بعد ملے تھے۔ کالج میں دیر تک اکٹھے رہے۔ کچھ عرصے تک خط و کتابت بھی رہی۔ پھر ایک دوسرے کے لیے معدوم ہو گئے۔ اتنے دنوں کے بعد اور اتنی دور اچانک ملاقات بڑی عجیب سی معلوم ہو رہی تھی۔

طے ہوا کہ یہ شام کسی اچھی جگہ گزاری جائے اور بیتے دنوں کی یاد میں جشن منایا جائے۔ میں نے اپنا سفر ایک روز کے لیے ملتوی کر دیا۔

جب باتیں ہو رہی تھیں تو میں نے دیکھا کہ وہ کافی حد تک بدل چکا تھا۔ مٹاپے نے اس کے تیکھے خدوخال کو بدل دیا تھا۔ اس کی آنکھوں کا وہ تجسس، نگاہوں کی وہ بے چینی، وہ ذہین گفتگو سب مفقود ہو چکے تھے۔ وہ عامیانہ سی باتیں کر رہا تھا۔ یوں معلوم ہوتا تھا جیسے وہ اپنی زندگی اور ماحول سے اس قدر مطمئن ہے کہ اس نے سوچنا بالکل ترک کر دیا ہے۔ دیر تک ہم پرانی باتیں دہراتے رہے۔

سہ پہر کو وہ مجھے ایک اینگلو انڈین لڑکی کے ہاں لے گیا جسے وہ شام کو مدعو کرنا چاہتا تھا۔ لڑکی نے بتایا کہ شام کا وقت وہ گرجے کے لیے وقف کر چکی ہے۔ ہم ایک اور لڑکی کے ہاں گئے۔ اس نے معذرت چاہی، کیونکہ اس کی طبیعت ناساز تھی۔ پھر تیسری لڑکی کے گھر پہنچے۔ اگرچہ ساتھ کے کمرے سے خوشبوئیں بھی آ رہی تھیں اور کبھی

کبھار آہٹ بھی سنائی دے جاتی تھی، لیکن دروازہ نہیں کھلا۔ وہ ایک اور شناسا لڑکی کے ہاں جانا چاہتا تھا، لیکن میں نے منع کر دیا کہ کوئی ضرورت نہیں۔ اور پھر اگر کوئی اور ساتھ ہوا تو اچھی طرح باتیں نہ کر سکیں گے۔ واپس آکر اس نے ٹیلیفون پر کوشش کی۔ چوتھی لڑکی گھر پہنچ چکی تھی، لیکن شام کو اس کی امی اسے نانی جان کے ہاں لے جا رہی تھیں۔

شام ہوئی تو ہم وہاں کے سب سے بڑے ہوٹل میں گئے۔ رقص کا پروگرام بھی تھا۔ اس نے پینا شروع کر دیا۔ میرے لیے بھی انڈیلی اور اصرار کرنے لگا۔ یہ اس کی پرانی عادت تھی۔

مَیں نے گلاس اٹھا کر ہونٹوں سے چُھوا۔ کچھ دیر گلاس سے کھیلتا رہا۔ پھر ٹہلتا ٹہلتا دریچے تک گیا۔ ایک بڑے سے گملے میں انڈیل کر واپس آگیا۔ اس نے دوسری مرتبہ ڈالی، مجھے بھی دی۔ میں پھر اٹھا اور اپنا حصہ کھڑکی سے باہر پھینک آیا۔

وہ اپنی روزانہ زندگی کی باتیں سنا رہا تھا۔ کمپنی کی لڑکیوں کے متعلق جو نہایت طوطا چشم تھیں۔ شراب کے متعلق جو دن بدن مہنگی ہوتی جا رہی تھی۔ اپنے معاشقوں کے متعلق جو اسے بے حد پریشان رکھتے تھے۔ اس کی بیوی بھی اسی شہر میں رہتی تھی، لیکن وہ اس سے مہینوں نہ ملتا۔ جب کبھی بھولے سے گھر جاتا تو وہ اتنے سوال پوچھتی کہ عاجز آجاتا۔ اتنا نہیں سمجھتی کہ ایک ہواباز کی زندگی کس قدر خطرناک ہوتی ہے۔ اگرچہ یہ زندگی اس نے خود منتخب کی تھی۔

یہ باتیں ہو رہی تھیں کہ دفعتاً ہم نے اس لڑکی کو رقص گاہ میں دیکھا جسے اس وقت گرجے میں ہونا چاہیے تھا۔ وہ ایک لڑکے کے ساتھ آئی ہوئی تھی۔ اس کے بعد وہ لڑکی آگئی جس کی طبیعت ناساز تھی۔ پھر معلوم ہوا کہ چوتھی لڑکی ہمارے سامنے رقص کر رہی ہے اپنی امی یا نانی جان کے ساتھ نہیں، بلکہ ایک دوسرے ہواباز کے ساتھ۔

وہ اپنی قسمت کو کوسنے لگا۔ نہ جانے یہ لڑکیاں ہمیشہ اسی کو کیوں دھوکا دیتی ہیں۔ ہمیشہ ٹرخا دیتی ہیں۔ آج تک کسی لڑکی نے اسے دل سے نہیں چاہا۔ یہ اس کی زندگی کی سب سے بڑی ٹریجڈی ہے۔

وہ گلاس پر گلاس خالی کیے جا رہا تھا۔ میرے حصّے کی ساری شراب گملوں اور پودوں کو سیراب کر رہی تھی۔ اسے حیرت تھی کہ مجھ جیسا لڑکا جو کالج کے دنوں میں باقاعدہ سگریٹ بھی نہ پیتا تھا اب ایسا شرابی ہو گیا کہ اتنی پی چکنے کے بعد بھی ہوش میں ہے۔ اس کے خیال میں ایسے شخص کو پلانا قیمتی شراب کا ستیاناس کرنا تھا۔

پھر ان اجنبی چہروں میں ایک جانا پہچانا مانوس چہرہ دکھائی دیا۔ یہ جینی تھی۔ جو رقص کا لباس پہنے ایک ادھیڑ عمر کے شخص کے ساتھ ابھی ابھی آئی تھی۔ ہم دونوں اٹھے، ہمیں دیکھ کر جینی کا مسکراتا چہرہ کِھل اٹھا۔ وہ بڑے تپاک سے ملی' تعارف ہوا۔

"میرے خاوند سے ملئے —— اور یہ دونوں میرے پرانے دوست ہیں۔"

مَیں نے ہاتھ ملاتے وقت اس کے خاوند کو مبارک باد دی اور کہا کہ وہ دنیا کا سب سے خوش نصیب انسان ہے۔

میں نے اسے غور سے دیکھا وہ پچاس سے اوپر کا ہو گا۔ اچھا خاصا سیاہ رنگ' دھندلی تھکی تھکی آنکھیں' بے حد معمولی شکل' پستہ قد۔ اگر وہ جینی کا خاوند نہ ہوتا تو شاید ہم اس کی طرف دوسری مرتبہ نہ دیکھتے' لیکن جینی کی مسکراتی ہوئی آنکھیں اس کے سوا اور کسی کی طرف دیکھتی ہی نہ تھیں۔ وہ اس کی تعریفیں کر رہی تھی کہ وہ قریب کی بندرگاہ کا سب سے بڑا بیرسٹر ہے۔ اس علاقے کا سب سے مشہور شخص ہے۔ میں نے جینی کو رقص کے لیے کہا۔ اس نے آنکھوں آنکھوں میں اپنے خاوند سے اجازت لی۔ رقص کرتے ہوئے میں نے محسوس کیا وہ بے حد مسرور ہے۔ اس قدر مسرور شاید میں نے اسے پہلے کبھی نہیں دیکھا۔ اور اس کے چہرے کی چمک دمک ویسی ہی ہے۔ اس کے ہونٹوں کی وہ دلآویز اور مخمور مسکراہٹ جُوں کی تُوں ہے۔ وہ مسکراہٹ جو اس قدر مشہور تھی' جسے مونا لزا کی مسکراہٹ سے تشبیہہ دی جاتی تھی۔ نہایت پُراسرار اور نافہم مسکراہٹ جس کی گہرائیوں کا کسی کو علم نہ ہو سکا۔ جو ہمیشہ راز ہی رہی۔

اور یہی مسکراہٹ مَیں نے سالہا سال دیکھی تھی۔ اس مسکراہٹ سے مَیں مدتوں سے شناسا رہا۔ جینی کے خاوند کے دوست آ گئے اور مقامی باتیں ہونے لگیں۔ کچھ دیر کے بعد میں اور میرا دوست اٹھ کر واپس اپنی جگہ چلے آئے' جہاں بوتل اس کی منتظر تھی۔

میں نے اس سے جینی کے متعلق باتیں کرنا چاہیں، لیکن اس نے جیسے سنا ہی نہیں۔ وہ ان چاروں لڑکیوں کے لیے اداس تھا جو اسے دھوکا دے کر دوسروں کے ساتھ چلی گئیں اور آج یہ پہلی مرتبہ نہیں ہوا۔ پہلے بھی بارہا ہو چکا تھا۔ اور لڑکیاں اجنبی بھی نہیں تھیں، پرانی دوست تھیں۔ اس کے ساتھ باہر جا چکی تھیں۔ اس سے بیش قیمت تحائف لے چکی تھیں۔ دراصل اب ایسی ٹھوکریں اسے ہر طرف سے لگ رہی تھیں۔ ریس، برج، سٹا ہر جگہ وہ ہار رہا تھا۔ ایک ادنیٰ فلم کمپنی کی ایکسٹرا لڑکی جس کے لیے اس نے سمندر کے کنارے مکان لیا، اسے چھوڑ کر کسی بوڑھے سیٹھ کے ساتھ چلی گئی۔ اور میں دزدیدہ نگاہوں سے اس طرف دیکھ رہا تھا جہاں جینی تھی۔ وفورِ مسرت سے اس کا چہرہ جگمگا رہا تھا۔ اس کی آنکھیں روشن تھیں۔ وہ آنکھیں جو کبھی غمگین اور نمناک رہا کرتیں، اب مسرور تھیں۔ رخسار جن پر مدتوں آنسوؤں کی لڑیاں ٹوٹ ٹوٹ کر بکھرتی رہیں اب تاباں تھے۔ وہ کھلی ہوئی مسکراہٹ شاہد تھی کہ دل سے اس شدید الم کا احساس جا چکا ہے جو جینی کی قسمت بن چکا تھا۔ اس خوشی میں اب غم کی رمق تک نہیں دکھائی دیتی تھی۔

لیکن اتنی زائد مسرت کیسی تھی؟ یہ انبساط کیسا تھا؟ اور اس پُراسرار مسکراہٹ کے پیچھے کیا تھا؟

میں صرف اس کے چہرے کو دیکھ سکتا تھا۔ اس کی روح بہت دور تھی۔ وہاں تک میری نگاہیں نہیں پہنچ سکتی تھیں۔ کیا وہاں کوئی عظیم طوفان بپا تھا؟ اذیت کُن کرب ناک، شدید طلاطم۔ یا جلتے ہوئے شعلوں کی تپش نے بہت کچھ ختم کر دیا تھا؟ یا وہاں سب کچھ بھسم ہو چکا تھا؟ برف کے تودوں کے سوا کچھ بھی نہ رہا تھا؟

اس کا جواب میں نے اس کی مسکراہٹ سے مانگا۔

وہ لگاتار اپنے خاوند کے ساتھ رقص کرتی رہی، اس کی آنکھوں میں آنکھیں ڈال کر! کئی مرتبہ وہ بالکل قریب سے گزرے۔ اس نے میری طرف دیکھا اور مسکرائی۔ پھر جیسے وہ مسکراہٹ پھیلتی گئی۔ اس نے ماضی اور حال کی حدوں کو محیط کر لیا۔ وہ سب تصویریں سامنے آنے لگیں جو ذہن کے تاریک گوشوں میں پوشیدہ تھیں۔

میں نے برسوں پہلے اپنے آپ کو یونیورسٹی کے مباحثے میں دیکھا۔ میرے ساتھ میرا پرانا رفیق اور ہم جماعت جی بی تھا۔ وہ ان دنوں بہترین مقرر تھا۔ سٹیج پر ہمیشہ فاتح کی طرح جاتا اور فاتح کی طرح لوٹتا۔ اس کی تقریر ختم ہوئی تو ایک لڑکی سٹیج پر آئی۔ گھنگھریالے بال، جھکی ہوئی آنکھیں، لبوں پر مجوب مسکراہٹ، مِلا جلا انگریزی اور ہندوستانی لباس پہنے۔

ہال میں سرگوشیاں ہونے لگیں۔ ہمیں بتایا گیا کہ یہ نئی نئی کہیں سے آئی ہے۔ اس کا نام کچھ اور ہے، لیکن اسے لیلیٰ کہتے ہیں۔ شاید اس کی ملیح رنگت اور گھنگھریالی پریشان زلفوں کی وجہ سے۔

کچھ دیر وہ شرماتی رہی، بول ہی نہ سکی۔ پھر ذرا سنبھل کر اس نے جی بی کی تقریر کی مخالفت شروع کی۔ ایسے ایسے نکتے لائی کہ سب حیران رہ گئے اور جی بی کی تقریر بالکل بے معنی معلوم ہونے لگی۔

جب سٹیج سے اتری تو دیر تک تالیاں بجتی رہیں۔ پھر معلوم ہوا کہ پہلا انعام جی بی اور اس لڑکی میں تقسیم کیا جائے گا۔ لیکن جی بی نے ججوں سے درخواست کی کہ انعام کی وہی حق دار ہے اور اسی کو ملنا چاہیے۔ جی بی کے رویے کو سراہا گیا۔ ہجوم میں ہیجان پھیل گیا۔ مدتوں کے بعد ایک لڑکی پہلا انعام جیت رہی تھی۔ وہ بھی ایسی لڑکی جو بالکل نووارد تھی۔

جب لیلیٰ سٹیج پر چاندی کا بڑا سا وزنی کپ لینے آئی تو اس کی پریشان زلفیں اور پریشان ہو گئیں۔ نگاہیں اور جھک گئیں۔ جب اس سے اتنا بڑا کپ نہ سنبھالا گیا تو جی بی نے لپک کر کپ کا چوبی حصّہ خود اٹھا لیا۔ لیلیٰ نے جی بی کو جھکی ہوئی نگاہوں سے ایک مرتبہ دیکھا۔

اس بھولی بھالی الہڑ لڑکی سے ہمارا تعارف یوں ہوا۔ اس کے بعد ملاقاتوں کا تانتا بندھ گیا۔ جی بی کالج کا ہیرو تھا۔ لڑکوں اور استادوں میں ہر دلعزیز۔ کالج میں سب سے ذہین، چست، ہنس مکھ اور خوش پوشاک۔ بڑے امیر والدین کا اکلوتا بیٹا۔ اس کی کار پروفیسروں کی کاروں سے بھی بڑھیا تھی۔ جہاں کہیں ادبی تقریب ہوتی مجھے اور جی بی کو مدعو کیا جاتا۔ ہمارے کہنے پر لیلیٰ کو بھی بلایا جاتا۔ لیلیٰ کے خدوخال حسین نہیں تھے۔

اگر اسے ناقدانہ طور پر دیکھا جاتا تو وہ حسین ہرگز نہیں تھی۔ لیکن اگر حسین خدوخال کے بغیر بھی کوئی خوبصورت ہو سکتا ہے تو وہ لیلیٰ تھی۔ اس کی لہراتی ہوئی زلفیں، جھکی ہوئی شرمیلی آنکھیں، مسکراتے ہوئے ننھے منے ہونٹ، ملیح چمپئی رنگت، اور نہایت معصوم باتیں۔ سب مل کر نرالی جاذبیت پیدا کر دیتے۔ بعض اوقات تو وہ بے حد پیاری معلوم ہوتی۔

وہ ہوسٹل میں رہتی تھی، سب سے الگ تھلگ۔ کبھی ہم نے اسے کسی کے ساتھ نہیں دیکھا۔ اس کے والدین کے متعلق طرح طرح کی افواہیں سننے میں آتیں۔ ان کے خاندان میں انگریزی اور پرتگالی خون کی آمیزش تھی۔ اس کی والدہ جنوبی ہندوستان کی تھی۔ اس لیے نہ ان کا کوئی خاص مذہب تھا نہ کوئی خاص نسل۔ لیلیٰ کا اصلی نام بھی عجیب سا تھا۔ اس کا لباس بھی ملا جلا ہوتا۔ وہ اپنے والدین کے ذکر سے ہمیشہ احتراز کرتی۔ یہ مشہور تھا کہ ان کی خانگی زندگی نہایت ناخوشگوار ہے اور وہ ہمیشہ الگ الگ رہتے ہیں۔ ایک دفعہ ان کا تنازعہ عدالت تک بھی پہنچ چکا ہے۔

پھر کسی نے یونہی کہہ دیا کہ لیلیٰ جی بیؔ کی طرف دیکھتی رہتی ہے۔ یہ افواہ بنی، پھر عام ہو گئی۔ ہر جگہ اس نئے معاشقے پر تبصرے ہونے لگے۔ پھر سب نے دیکھا کہ لیلیٰ کے دل کا راز عیاں ہو چکا ہے۔ وہ جی بیؔ کو چاہتی ہے۔ طرح طرح کے بہانوں سے وہ اسے ملتی۔ جانے پہچانے راستوں سے ایسے وقت گزرتی کہ جی بیؔ نظر آجاتا۔ جی بیؔ کو دیکھ کر اسے دنیا بھر کی نعمتیں مل جاتیں۔ یہ نوزائیدہ محبت اس کی زندگی میں طرح طرح کی تبدیلیاں لے آئی۔ وہ مسرور رہنے لگی — ادبی سرگرمیوں میں نمایاں حصہ لینے لگی۔ اس کا اجنبی لہجہ درست ہوتا گیا۔ اس کی گفتگو میں مٹھاس آگئی۔

لیکن جی بیؔ کچھ اتنا متاثر نہیں ہوا۔ اس کے لیے یہ کوئی نئی بات نہیں تھی۔ کتنی مرتبہ اسے محبت خراج کے طور پر ملی تھی۔ وہ لیلیٰ سے ملتا۔ اسے ملنے کے موقعے دیتا۔ خوب باتیں کرتا۔ بڑی شوخ اور چنچل قسم کی گفتگو، جس کا وہ عادی تھا۔

چاندنی رات میں دور ایک باغ میں تقریب ہوئی۔ لڑکیوں کے ساتھ لیلیٰ بھی آئی۔ جی بی ہمارے ساتھ نہیں آیا۔ معلوم ہوا کہ وہ ایک انگریز لڑکی کو لے کر

آئے گا جس کا شہر بھر میں چرچا تھا جو نوجوانوں کی گفتگو کا محبوب ترین موضوع تھی۔ یہ اس کی نئی محبوبہ تھی۔

جی بی دیر میں پہنچا اور کار سے اکیلا اترا۔ وہ لڑکی اس کے ساتھ نہیں تھی۔ وہ مایوس اور کھویا کھویا سا تھا اور فوراً واپس جانا چاہتا تھا' لیکن اسے اجازت نہ ملی۔ وہ تو ایسی محفلوں کی جان تھا۔ جب وہ اپنی غزل سنا رہا تھا تو لیلیٰ اسے ایسی نگاہوں سے تک رہی تھی جیسے آئینے میں خود اپنا عکس دیکھ رہی ہو۔ جیسے خود اپنی روح کو کسی اور روپ میں دیکھ رہی ہو۔ جی بی نے خلافِ توقع غم آمیز اشعار سنائے جن میں شکوے تھے' التجا تھی۔ اور وہ اشعار کسی خاص ہستی کے لیے تھے جو وہاں نہیں تھی۔

لیلیٰ نے کئی مرتبہ اس سے باتیں کرنے کی کوشش کی' لیکن وہ بدستور خاموش رہا۔ میں نے اسے ٹوکا' ایک طرف لے جا کر ڈانٹا بھی' لیکن جیسے وہ وہاں تھا ہی نہیں۔ ہم دونوں اکیلے کھڑے تھے کہ لیلیٰ آ گئی۔ جی بی کچھ دیر اس کی طرف یونہی دیکھتا رہا۔ پھر اس کا ہاتھ پکڑا اور ایک اونچے سرو کے پیچھے لے گیا۔ وہ مبہوت بنی چپ چاپ چلی گئی۔ جی بی نے اسے بازوؤں میں لے کر چوم لیا۔ پہلے بوسے پر وہ کانپ اٹھی۔ ان جانی لذّت سے مغلوب ہو کر اس نے آنکھیں بند کر لیں اور جی بی کے سینے سے سر لگا دیا۔ وہ اسے پھیکے ہونٹوں سے چومتا رہا۔ ایسے الفاظ اس کے لبوں سے نکلتے رہے جو لیلیٰ کے لیے نہیں کسی اور کے لیے تھے۔ اس کے بازوؤں میں لیلیٰ نہیں تھی' کوئی اور بے وفا حسینہ تھی جس کے لیے وہ بے تاب تھا۔

لیلیٰ شدّتِ احساس سے آنکھیں بند کیے کھڑی رہی' وہ جی بی اور اس کے بوسوں کی دنیا سے دور نکل گئی۔ وہ شعر و نغمے کی وادیوں میں جا پہنچی' جہاں اس کے سہمے ہوئے خوابوں کی تعبیریں آباد تھیں۔ جہاں فضاؤں میں اس کی معصوم امنگیں تحلیل ہو چکی تھیں' جہاں کیف و خمار چھائے ہوئے تھے۔ جہاں صرف رعنائیاں تھیں اور محبت پاشیاں۔

اس کے بعد لیلیٰ کی نئی زندگی شروع ہوئی۔ اس کی دنیا میں ہر چیز پر نیا نکھار آ گیا۔ جو پہلے محض تخیل تھا وہ تخلیق ہو گیا۔ غنچے چٹکے' خوش الحان طیور چہچہانے لگے' رنگ برنگے پھولوں کی خوشبوؤں نے ہوائیں بوجھل کر دیں۔ زمین سے آسمان تک قوسِ قزح کے رنگ مچلنے لگے۔ ہر شے کا خوابیدہ حسن جاگ اٹھا۔ اس کے بعد نہ دنیا

رہی نہ زندگی، محض خواب رہ گیا اور یہ خواب تخیل اور حقیقت کی حدوں پر چھا گیا۔

بہت دیر کے بعد لیلیٰ اس خواب سے چونکی۔ دفعتاً اس پر اس بھیانک حقیقت کا انکشاف ہوا کہ وہ جی بی کے لیے ایک کھلونا تھی۔ جی بی کو اس سے محبت نہیں تھی۔ اس کے لیے وہ ان متعدد لڑکیوں میں سے ایک تھی جو اس کا تعاقب کرتی تھیں اور بغیر کسی صلے کے اسے چاہتی تھیں۔

جب بات بہت مشہور ہوئی تو جی بی کترانے لگا! اس نے تقریبوں میں آنا بند کر دیا۔ لیلیٰ کو دیکھ کر کار تیز کر دیتا۔ اس کی طرف سے منہ پھیر لیتا۔

اپنی پہلی محبت کی شکست پر لیلیٰ کو یقین نہ آیا۔ اس کے وہم و گمان میں بھی نہ تھا کہ یوں بھی ہو سکتا ہے۔ اس صدمے کو اس نے اپنی روح کی گہرائیوں میں چھپا لیا' لیکن اس کی محبت جوں کی توں رہی۔ وہ اس سے ملنے کے بہانے تلاش کرتی' اسے خط لکھتی' تحائف بھیجتی۔

ایک روز سب نے لیلیٰ کے خطوط کو نوٹس بورڈ پر دیکھا۔ یہ وہ محبت بھرے خطوط تھے جو اس نے جی بی کو لکھے۔ بہت سے لڑکے یہ خطوط دیکھنے گئے' میں بھی گیا۔ سب نے مزے لے لے کر خطوط کو پڑھا' دلچسپ فقرے نقل کیے' خوب ہنسے بھی۔

مَیں نے جی بی کو بُرا بھلا کہا۔ اسے یہ حرکت ہرگز نہیں کرنی چاہیے تھی۔ وہ کہنے لگا کہ لیلیٰ نے اسے اس قدر بدنام کر دیا ہے کہ اب وہ اس کے نام سے نفرت کرتا ہے۔ وہ اس سے ملتا ضرور رہا ہے لیکن کسے علم تھا کہ معمولی سا مذاق ایسی شکل اختیار کر لے گا اور وہ مفت میں بدنام ہو جائے گا۔ محض لیلیٰ کی وجہ سے بقیہ لڑکیاں اس سے دور دور رہنے لگی ہیں۔ وہ سمجھتی ہیں کہ پہل جی بی کی طرف سے ہوئی تھی۔

جی بی میرا گہرا دوست تھا۔ ہم دونوں ہم عمر تھے۔ ہمارے خیالات ایک سے تھے۔ میں خاموش ہو گیا۔ دیر تک خطوط کا چرچا رہا۔ لیلیٰ کئی ہفتے کالج نہیں آئی۔ تنہا گوشوں میں بیٹھ کر رویا کرتی۔ اس نے کسی سے شکایت نہیں کی۔ جو کچھ اسے کہا گیا' اس نے خاموشی سے برداشت کیا۔

جی بی نے لیلیٰ کی سہیلیوں کی منتیں کیں کہ اسے سمجھائیں۔ کسی طرح اسے

دُور رکھیں۔ اس نے ان راستوں سے گزرنا چھوڑ دیا جہاں لیلیٰ کے نظر آ جانے کا احتمال ہوتا۔ اپنے کمرے کی وہ کھڑکیاں مقفّل کر دیں جو سڑک کی طرف کھلتی تھیں، جن کی طرف لیلیٰ گزرتے ہوئے اسے دیکھ لیا کرتی۔

مجھے بڑا ترس آیا اور میں جی بی سے خوب لڑا کہ جہاں ہم اتنی لڑکیوں سے ملتے رہتے ہیں وہاں کبھی کبھی بے چاری لیلیٰ سے مل لینے میں کیا حرج ہے۔ وہ کہنے لگا کہ تمہیں معصومیت اور سادگی پسند ہے، مجھے نہیں۔ مجھے ناپختہ اور الہڑ لڑکیاں اچھی نہیں لگتیں۔ ذرا سی بات پر آنسو نکل آتے ہیں۔ خوش ہوئیں تو رونے لگیں، غمگین ہوئیں تو آنسو بہنے لگے۔ دنیا کی کسی چیز کا بھی انہیں علم نہیں۔ ہر چیز خود بتانی پڑتی ہے اور میرے پاس اتنا وقت نہیں۔ مجھے تجربہ کار اور کھیلی ہوئی لڑکیاں زیادہ پسند ہیں۔

جی بی کے اس رویّے کا اثر یہ ہوا کہ لیلیٰ اس سے ڈرنے لگی۔ وہ اسے دُور دُور سے دیکھتی۔ کہیں آمنا سامنا ہوتا تو راہ کترا جاتی۔ دوسروں سے جی بی کے متعلق پوچھتی رہتی۔ کئی مرتبہ میں نے خود اسے جی بی کے بارے میں باتیں بتائیں۔ اس کی تصویریں بھی دیں جس پر وہ مجھ سے خفا ہو گیا۔

پھر جی بی کو کچھ عرصے کے لیے اپنی تعلیم چھوڑ دینی پڑی۔ اس کے کچھ رشتہ دار دوسرے ملک میں بہت بڑے تجار تھے۔ اسی سلسلے میں جی بی کے والد اسے باہر بھیجنا چاہتے تھے۔ وہ امیر تھے اور ان کے لیے تعلیم اتنی اہم نہ تھی۔ ہم دونوں کو ایک دوسرے سے بچھڑنے کا بہت افسوس ہوا۔ ایک شام کو ہم اداس بیٹھے تھے کہ میں نے اسے لیلیٰ سے آخری مرتبہ ملنے کو کہا۔ اس نے انکار کر دیا۔ جب میں نے اپنی دوستی کا واسطہ دلایا تو راضی ہو گیا۔ میں نے لیلیٰ کو بتایا تو اسے یقین نہ آیا۔ اس نے آنسو خشک کیے، اپنا بہترین لباس پہنا، سہیلیوں سے مانگ کر زیور پہنے۔ ان کے مشورے سے سنگار کیا۔ اپنے چہرے پر مسکراہٹ اور دل میں آرزوئیں لیے اپنے محبوب سے ملنے گئی۔ اس رات جی بی پیے ہوئے تھا۔ بعد میں اس نے بتایا کہ محض اس ملاقات کی وجہ سے پی تھی تاکہ وہ لیلیٰ سے پیار بھری باتیں کر سکے۔

اس نے لیلیٰ سے بہت سی باتیں کیں۔ اسے ہمیشہ خوش رہنے کو کہا۔ جلد واپس لوٹنے کے وعدے کیے۔ لیلیٰ کو ایک بار پھر اس فردوسِ گمشدہ کی جھلک دکھائی دی

جسے محبت کے پہلے بوسے نے تخلیق کیا تھا۔ لیلیٰ نے اقرار کیا کہ وہ ہمیشہ خوش رہے گی اور اس کا انتظار کرے گی۔ اگر اس کی وجہ سے جی بی کو کوئی تکلیف پہنچی ہو تو وہ سزا کی طالب ہے۔ اگر جی بی حکم دے تو وہ کہیں دور چلی جائے۔ اگر وہ چاہے تو لیلیٰ مر جائے۔ جدا ہوتے وقت اس نے اپنا رومال جی بی کو نشانی کے طور پر دیا۔ یہ رومال جی بی نے مجھے دے دیا۔ کہنے لگا شاید تمہارے پاس محفوظ رہے ورنہ میں تو اسے اِدھر اُدھر پھینک دوں گا۔ رومال سے بھینی بھینی خوشبو آرہی تھی۔ ایک کونے میں سرخ دھاگے سے ننھا دل بنا ہوا تھا' جسے لیلیٰ نے خود کاڑھا تھا۔

جی بی کے چلے جانے پر لیلیٰ ذرا بھی غمگین نہ ہوئی۔ اس کے وعدوں کو دل سے لگائے انتظار کرتی رہی۔ یہ انتظار طویل ہوتا گیا۔

پتّے زرد ہو کر گر پڑے' پھول مرجھا گئے' ٹہنیاں لنج منج رہ گئیں۔ خزاں آ گئی۔ وہ نہ آیا۔ جھکڑ چلے' سوکھے پتے اڑنے لگے' گرد و غبار نے آسمان پر چھا کر چاندنی اداس کر دی' تاروں کو بے نور کر دیا۔ وحشتیں پھیل گئیں۔ وہ نہ آیا۔

کونپلیں پھوٹیں' ہریالی میں پیلی پیلی سرسوں پھولی۔ رنگین تتلیاں اڑنے لگیں۔ غنچے مسکرانے لگے۔ پرندوں کے نغموں سے ویرانے گونج اٹھے۔ بہار آ گئی۔ لیکن وہ نہ آیا۔

دن لمبے ہوتے گئے۔ لمبی لمبی جھڑیاں لگیں۔ سفید بگلوں کی قطاریں سیاہ گھٹاؤں کو چیرتی ہوئی گزر گئیں۔ نیلے بادل آئے اور برس کر چلے گئے۔ جھیلوں کے کنارے قوسِ قزح سے رنگین ہو گئے۔ لیکن وہ پھر بھی نہ آیا۔

بہت دنوں تک لیلیٰ کھوئی کھوئی سی رہی۔ کافی دیر کے بعد وہ سب کچھ سمجھ سکی۔ جب جی بی لوٹا تو وہ سنبھل چکی تھی۔ جی بی اکیلا نہیں آیا' اس کے ساتھ اس کی بیوی بھی تھی۔ گوری چٹی' فربہ عورت' جو کسی لکھ پتی کی بیٹی تھی جس کا گول مٹول چہرہ کسی قسم کے اظہار سے مبرّا تھا۔ جس کے دل میں جذبات کے لیے جگہ نہیں تھی' جو اس ٹھوس اور مادی دنیا میں پیدا ہوئی اور اسی دنیا سے تعلق رکھتی تھی۔

ایسے اونچے اور امیر گھرانے میں شادی ہو جانے پر سب نے جی بی کو مبارکباد

دی۔ اس کی قسمت پر رشک کیا۔

میں لیلیٰ کو بھی جانتا تھا اور جی بیؔ کو بھی۔ یہ محض اتفاق تھا کہ وہ دونوں اس وقت رقص گاہ میں تھے۔ جی بی میرا وہ پرانا دوست تھا جو میرے ساتھ بیٹھا تھا اور لگاتار پی رہا تھا اور لیلیٰ وہ جینیؔ تھی جو میرے سامنے اپنے خاوند کے ساتھ رقص کر رہی تھی۔

لیلیٰ کو بدستور چھیڑا جاتا۔ طعنے دیئے جاتے۔ سب اس کا مذاق اڑاتے۔ ایک روز ہم نے سنا وہ کالج چھوڑ کر گھر چلی گئی۔ کچھ دنوں تک اس کا انتظار کیا گیا' لیکن وہ واپس نہ آئی۔ آہستہ آہستہ اس کی باتیں بھولتی گئیں۔ کچھ عرصے کے بعد لیلیٰ کا ذکر ایک پرانی بات ہو گئی۔

پھر ایک روز وہ کہیں سے آ کر کالج میں دوبارہ داخل ہوئی۔ اب وہ شرماتی لجاتی سہمی ہوئی لیلیٰ نہیں' بلکہ شوخ و بے باک جینیؔ تھی۔ یہ نیا نام اس نے خود اپنے عیسائی نام سے چنا تھا۔ وہ کالج کے قریب ہی ایک عیسائی کنبے کے ساتھ رہتی تھی۔ صبح صبح جب گردن اونچی کیے نگاہیں اٹھائے سائیکل پر آتی تو لڑکے ٹھٹھک کر رہ جاتے۔ ہر وقت اس کے لبوں پر نہایت بے باک مسکراہٹ ہوتی۔

یونین کا جلسہ ہے تو جینی تقریر کر رہی ہے۔ ڈراما ہے تو وہ ضرور حصہ لے گی۔ مباحثہ ہے تو جینی اچھے اچھوں کی دھجیاں اڑا دے گی۔ اس کی دلیری اور صاف گوئی سے سب ڈرتے تھے۔

جینی کی بے باکی کو سراہا جانے لگا اور سب اسے عزت کی نگاہوں سے دیکھنے لگے تھے۔

ڈےؔ یونین کا صدر تھا۔ وہ دبلا پتلا سانولا بنگالی لڑکا تھا۔ اس میں صرف یہ خوبی تھی کہ وہ کئی سال سے یونین کا صدر تھا۔ میری اس کی جان پہچان تب سے ہوئی جب وہ ہوسٹل میں میرا پڑوسی بنا۔ اس کی شاعرانہ باتیں' اس کے انوکھے نظریے' اس کا حسّاس پنا' وائلن پر غم ناک نغمے۔ یہ سب مجھے اچھے معلوم ہوئے' لیکن مجموعی طور پر بطور

انسان کے میں نے اسے کبھی پسند نہیں کیا۔ ویسے اس میں کوئی نمایاں عیب یا خامی نظر نہیں آئی۔ شاید اس کا اجڑا سا حلیہ‘ اس کی آنکھوں کی مجرمانہ بناوٹ‘ اس کے چہرے کا فاقہ زدہ اظہار تھا جو مجھے ہمیشہ اس سے دور رکھتا۔

کبھی کبھی میں شام کو اسے بھی ہمراہ لے جاتا۔ اس طرح اس کی جینی سے ملاقات ہوئی۔

غالباً ڈےؔ کی سب سے بڑی خوبی اس کا انکسار تھا۔ اسے اپنی کمزوریوں کا ہمیشہ احساس رہتا۔ بعض اوقات تو وہ اس قدر کسرِ نفسی سے کام لیتا کہ ترس آنے لگتا۔ یوں معلوم ہوتا جیسے وہ رحم کا طالب ہے۔ شروع شروع میں شاید جینی کو اس کی یہی ادا بھا گئی۔ دیکھتے دیکھتے وہ جینیؔ میں ضرورت سے زیادہ دلچسپی لینے لگا۔ پھر جیسے جینی بھی اس کی جانب ملتفت ہوتی گئی۔ جب وہ وائلن پر درد بھرے نغمے سناتا تو اس کی نگاہیں جینی کے چہرے پر جم جاتیں۔ نغمے کی پرواز نہایت مختصر ہوتی۔ ڈےؔ کی انگلیوں سے لے کر جینی کے دل تک!

جب وہ دونوں فلسفے کی کتاب ہاتھ میں لیے بحث میں مصروف ہوتے تو اکثر بہک بہک جاتے۔ آنکھوں آنکھوں میں کچھ اور گفتگو ہونے لگتی۔

ان دونوں کی دوستی اشاروں اور کنایوں کی حدود سے نکل کر کھلم کھلا ملاقاتوں تک پہنچ چکی تھی۔ جب وہ بالوں میں پھول لگا کر ساڑھی کو ایک خاص وضع سے پہن کر نکلتی تو بالکل بنگالی لڑکی معلوم ہوتی۔ کالج کی کئی لڑکیاں اسے دیکھ کر بالوں میں پھول لگانے لگیں۔

ان دنوں ہم ڈراما کر رہے تھے۔ دوپہر سے ریہرسل شروع ہو جاتی۔ شام بھی اکٹھے گزرتی۔ اکثر میں جینیؔ کو گھر چھوڑنے جاتا۔ اس کے کمرے کی زیبائش خوب ہوتی۔ کسی روز تو یوں معلوم ہوتا جیسے یہ کمرہ نہیں جنگل ہے۔ دیواروں پر گہرا سبز وال پیپر چسپاں ہے جس پر درخت اور گھنی جھاڑیاں بنی ہوئی ہیں۔ گلدانوں میں لمبی لمبی گھاس اور بڑے بڑے پتے ہیں۔ سبز قمقمے روشن ہیں۔ فرش پر بچھے ہوئے قالینوں کے نقش و نگار دیواروں پر ٹنگی ہوئی تصویریں‘ سبزی مائل پردے‘ گملوں میں رکھے ہوئے

پودے۔ یوں معلوم ہوتا جیسے درندوں کی یہ تصویریں ابھی متحرک ہو جائیں گی——
پھر کسی روز یہ سب کچھ زرد ہوتا۔ دیواریں' پردے' غلاف' قالین' قمقموں کے شیڈ' گلدانوں میں صحرائی پھول اور خشک ٹہنیاں ہوتیں۔ انگیٹھی کے سامنے ریت کے چھوٹے چھوٹے ڈھیر۔ خیالات کہیں کے کہیں پہنچ جاتے۔ تصور میں لق ودق صحرا کا نظارہ پھرنے لگتا۔ تاروں کی چھت تلے حُدی خانوں کا نغمہ گونجنے لگتا۔

پھر کسی روز برف باری کے نظارے آنکھوں کے سامنے آجاتے۔ اور کبھی کبھی یہی آرائش طوفان زدہ سمندر کی یاد دلا دیتی۔ جھاگ اڑاتی ہوئی چنگھاڑتی لہریں۔ ہوا کے تندو تیز تھپیڑے اور آندھیوں میں پتے کی طرح کانپتا ہوا سفینہ!

اس کے کمرے میں کبھی ایک جیسا گلدستہ میں نے دو مرتبہ نہیں دیکھا۔ گلدان میں بڑے بڑے پھول بھی ہیں' شوخ پھول بھی ہیں' لیکن سب سے نمایاں صرف ننھی منّی کلیاں ہیں۔ باقی سب رنگ آپس میں گھُل مِل کے کھوئے گئے ہیں۔ کبھی غنچے' کلیاں' پھول سب کہیں جا چھپے ہیں' صرف خوشنما وضع کے پتے سامنے آگئے ہیں۔ اس کے ترتیب دیئے ہوئے گلدستوں کو دیکھ کر مجھے حیرت ہوتی کہ ایسے حسین و جمیل پھول بھی آسمان تلے کھلتے ہیں جنہیں گلشن میں نگاہ پہچانتی تک نہیں۔

ایک پروفیسر کے تبادلے پر باغ میں پارٹی ہوئی۔ طے ہوا کہ وہیں شام کو بارہ دری میں چھوٹا سا ڈرامہ بھی کیا جائے۔ جینی کو المیہ پارٹ ملا۔ وہ دن اس نے اکیلے گزارا۔ کسی سے بات نہیں کی۔ دن بھر اداس رہی۔ لیمپوں کی روشنی میں ڈرامہ شروع ہوا۔ جینی نے اپنا گانا بالکل آخر میں رکھا۔ لیمپ بجھا دیے گئے۔ سب نے دیکھا کہ درختوں کے جھنڈ سے چاند طلوع ہو رہا تھا۔ وہ ایک بنگالی نظم گا رہی تھی' جس میں چودھویں کے چاند کو مخاطب کیا گیا تھا۔ ڈے وائلن بجا رہا تھا۔ وہ سادا سا گیت اور وائلن کا تھرتھراتا ہوا نغمہ چاند سے نئی نئی اتری ہوئی جِلا کا جزو معلوم ہونے لگے۔ پھر جینی کا رقص شروع ہوا۔ اس کی انگلیوں کی جنبش' جسم کے لوچ اور گھنگھرو کی تال پر چاند تارے ناچنے لگے۔ پھر جیسے مندروں میں گھنٹیاں بجنے لگیں' دیوداسیاں سنگار کیے' کنول کے پھول تھامے آگئیں۔ پجاریوں کے سر جھک گئے۔ فضاؤں میں تقدس برسنے لگا۔ پھر جیسے چراغوں سے دھواں اٹھا اور دھند بن کر چھا گیا۔ سب کچھ آنکھوں سے اوجھل

ہو گیا۔ صرف جینی رہ گئی اور اس کا محبوب۔ پجاری اور دیوتا۔

یہ غنائیہ باغ کی اس چاندنی رات میں ختم نہیں ہوا۔ ساز اور لَے دیر تک ہم آہنگ رہے۔ ڈے نے ان پیار بھرے جذبات کا اظہار کر دیا جنہیں وہ دیر سے چھپائے بیٹھا تھا۔ اس نے اپنی بے پایاں محبت کا یقین دلایا۔ یہ بھی کہا کہ مرتے دم تک وہ جینی سے اسی شدت کے ساتھ محبت کرتا رہے گا۔ اور یہ کہ اس نے اپنے والدین کو سب کچھ لکھ دیا ہے۔ عنقریب اس کی والدہ آئیں گی اور جینی سے ملیں گی۔ پھر وہ جینی کو رسم کے مطابق سنہرا ہار دے گا جس میں دل کی شکل کا لاکٹ پرویا ہوا ہو گا۔ ان دونوں کو ایک بہت بڑی قوت نے آپس میں ملا دیا ہے۔ آرٹ نے' وہ دونوں آرٹسٹ ہیں۔ انسان فنا ہو جاتے ہیں۔ آرٹ فنا نہیں ہوتا۔ آرٹ جاوداں ہے۔

پھر میں نے جینی کے کمرے میں ساز دیکھے۔ معلوم ہوا کہ وہ ہندوستانی موسیقی سیکھ رہی ہے۔ مغربی موسیقی سے وہ شناسا تھی۔ میں نے اسے جانے پہچانے نغمے گنگناتے سنا تھا۔ پیانو پر اس کی انگلیاں خوب چلتیں۔ کئی مرتبہ یوں ہوا کہ ریڈیو پر آرکسٹرا سمفنی بجا رہا ہے اور جینی مجھے سمجھا رہی ہے کہ سمفنی ایک نغمہ نہیں' مختلف نغموں کا مرکب ہے۔ ایسے نغمے جو مختلف کیفیتوں کو ظاہر کرتے ہیں اور یہ کیفیتیں بغیر کسی تسلسل کے آتی ہیں۔ رنج و مسرت' انبساط و حسرت آشامیاں' شک' وسوسے' امید و بیم' اعترافِ غم۔ ہماری مسرّتیں کبھی رنج کی آمیزش سے خالی نہیں ہوتیں۔ اسی طرح غم کی گھٹائیں بھی اکثر بہجت کی کرنوں سے جگمگا اٹھتی ہیں۔ انسان کے دل میں کوئی جذبہ مکمل اور دیرپا نہیں ہوتا۔ یہ کیفیتیں بدلتی رہتی ہیں۔ تبھی سمفنی میں اتنے اُتار چڑھاؤ آتے ہیں اور کئی کئی گتیں ساتھ ساتھ چلتی ہیں۔

میں نے اسے ہندوستانی راگ راگنیوں کے کچھ ریکارڈ دیے جنہیں اس نے بڑے شوق سے سنا۔ اسے یہ نغمے نہایت دلکش معلوم ہوئے۔ اسے یہ بھی محسوس ہوا کہ یہ سب راگ مختلف جذبوں اور کیفیتوں کو ظاہر کرتے ہیں۔

میں نے درباری کی تشریح کی کہ جیسے ایک بہت بڑا ہال ہے۔ سامنے تخت پر بادشاہ بیٹھا ہے۔ قندیلیں روشن ہیں۔ فانوس جگمگا رہے ہیں۔ دور دور تک امراء اور

وزراء بیٹھے ہیں۔ پُرہول خاموشی طاری ہے۔ موسیقار کو بلایا جاتا ہے۔ ایسے ماحول میں شوخ موسیقی بے ادبی میں شمار ہوگی۔ غمگین موسیقی بھی موزوں نہیں۔ ہلکی پھلکی چیزوں سے بھی موسیقار گریز کرے گا، کیونکہ وہ اپنے جوہر دکھانا چاہتا ہے۔ ان سب باتوں کو مد نظر رکھا کر وہ جو چیز چنے گا وہ درباری ہے۔ اسی طرح اور راگوں راگنیوں کے متعلق بھی بتایا۔

جینی سنتی رہی۔ پھر ایک روز اس نے مجھے چند تصویریں دکھائیں جو اس نے خود بنائی تھیں۔ اسے مصوّری کا شوق ضرور تھا، لیکن یونہی معمولی سا۔ یہ اس کی پہلی کوشش تھی۔ ان تصویروں میں اس نے ذہنی تاثرات برش کے ذریعے کاغذ پر منتقل کیے تھے۔ وہ تاثرات جو مختلف راگنیاں سن کر اس نے محسوس کیے۔ یہ نغمے اس نے پہلے کبھی نہیں سنے تھے۔ ہندوستانی موسیقی اس کے لیے بالکل نئی چیز تھی۔ جوگیا کی تصویر میں تاحدِّ افق ننھے منّے خودرو پھول کھلے ہوئے تھے۔ چھوٹے چھوٹے رنگ برنگے پھول جن میں کلیاں بھی شامل تھیں۔ اور آدھ کِھلے ہوئے غنچے بھی۔ پتّیوں پر شبنم کے قطرے چمک رہے تھے۔ پسِ منظر دُور اُفق کے پرے برفانی چوٹیاں تھیں۔ اونچی اونچی برف سے لدی ہوئی چوٹیاں جن سے نورانی شعاعیں منعکس تھیں۔ پودوں کے سائے، شبنم کے چمکیلے قطرے اور جگمگاتی چوٹیاں۔ سب اس امر کے شاہد تھے کہ سورج ابھی ابھی نکلا ہے اور سارے نظارے پر ایک اداس سی دھند پھیلی ہوئی تھی۔ ہلکی ہلکی نوزائیدہ دھند جس نے فضا میں رنگ و بو کے اس طوفان کے باوجود ایک غمگین تاثر پیدا کر دیا تھا۔

دوسری تصویر مالکوس کی تھی۔ اس میں سمندر کی لہروں کو پیانو کے پردوں سے کھیلتے ہوئے دکھایا تھا۔ سفید اور سیاہ پردوں کی لڑیاں لہروں پر تیر رہی تھیں۔ کبھی کبھی ایک اونچی سی لہر آتی تو سارے پردوں کو یک لخت بلندیوں پر لے جاتی۔ راگ کی روانی اور زیر و بم کو لہروں کے کھیل سے ظاہر کیا گیا تھا۔

چھایانٹ کی تصویر منظوم موسیقی کی تصویر تھی جس میں مچلتے ہوئے شوخ نغمے مرتعش تھے۔ چنچل رقاصائیں گھنگھرو باندھے ناچ رہی تھیں۔ ہر جنبش میں بلا کا لوچ تھا۔ مخمور کر دینے والی مستی تھی۔

جینی انکار کرتی رہی، لیکن میں نے ان تصویروں کو نمائش میں رکھوا دیا۔ ایک روز ہم نمائش میں تھے کسی نے یونہی جینی کا نام لے دیا۔ چند لمحوں میں ہجوم اکٹھا ہو گیا۔ یہ سب جینی کے مداح تھے جو اس کی تصویروں کی تعریفیں کرنے لگے۔ اس روز معلوم ہوا کہ جینی مشہور ہوتی جا رہی ہے۔ قریب ہی اکھاڑے کے گرد لوگ اکٹھے ہو رہے تھے۔ ایک چینی پہلوان کی کشتی تھی۔ سانگ یا کچھ ایسا ہی نام تھا۔ لوگ دور دور سے اسے دیکھنے آئے۔ اسے ہجوم نے گھیر رکھا تھا جہاں وہ اس قدر ہر دلعزیز ثابت ہو رہا تھا وہاں اس کے حریف کو جو کہ مقامی پہلوان تھا کوئی پوچھتا ہی نہ تھا۔ کشتی شروع ہوئی اور غل مچ گیا۔ کچھ دیر برابر کا مقابلہ رہا۔ پھر دفعتاً مقامی پہلوان نے سانگ کو دونوں ہاتھوں سے پکڑ کر سر سے اونچا اٹھا لیا اور زمین پر دے مارا۔ سانگ بے ہوش ہو گیا۔ اسی ہجوم نے جو اس کی تعریفیں کر رہا تھا اس پر آوازے کسنے شروع کر دیے۔ اس پر اشتہاروں اور کاغذوں کے ٹکڑے پھینک کر اکھاڑے میں تنہا چھوڑ دیا۔ سانگ ایک بنچ پر اکیلا بیٹھا تھا۔ جینی مسکراتی ہوئی گئی اور اس سے باتیں کرنے لگی۔ اسے پسینہ پونچھنے کے لیے اپنا چھوٹا سا معطر رومال دیا جسے اس نے شکریے کے ساتھ لے لیا۔ جینی کی پیاری مسکراہٹ اور دلکش باتوں نے اسے موہ لیا۔ ان باتوں میں ایسی حلاوت تھی کہ سانگ کو اپنی زبوں حالت کا احساس نہ رہا۔ ساری شام ہم نے اکٹھے گزاری۔ جب وہ رخصت ہوا تو اس کے ہونٹ لرز رہے تھے اور آنکھوں میں آنسو تھے۔

ڈے کے والدین آ گئے اور وہ ہوٹل سے چلا گیا۔ اس کی والدہ نے جینی کو دیکھا۔ جینی کو ان کے گھر بلایا گیا' لیکن یہ آنا جانا بہت جلد ختم ہو گیا۔ ایک روز ڈے جینی سے ملا اور جی بی کے متعلق پوچھنے لگا۔ جینی نے شروع سے آخر تک ساری کہانی سنا دی۔ سب کچھ بتا دیا۔ ڈے اس پر برس پڑا۔ یہ باتیں اس سے پوشیدہ کیوں رکھی گئیں۔ اسے پہلے کیوں نہیں بتایا گیا۔ جی بی کے علاوہ اور بھی نہ جانے کتنے عاشق ہوں گے۔ اب اسے کیونکر یقین آ سکتا ہے کہ جینی کی محبت صادق ہے۔ یہ تو محض ڈھونگ تھا' کھیل تھا۔ اب اس کھیل کو فوراً ختم ہو جانا چاہیے۔

میں نے سنا تو ڈے کو سمجھایا کہ جن دنوں وہ جی بی سے ملا کرتی تھی۔ ڈے

بنگال سے آیا بھی نہ تھا۔ بھلا وہ ڈے پر اتنی دور سے کیونکر عاشق ہو سکتی تھی اور وہ بھی بلا دیکھے اور سنے۔ اور پھر وہ خود جینی کے علاوہ کئی لڑکیوں سے محبت جتا چکا تھا۔ جینی جانتی تھی، پھر بھی اس نے باز پرس نہ کی۔ لیکن ڈے نہیں مانا۔ اس کے خیال میں ہر مرد کا فطری حق تھا کہ خود دنیا بھر کی لڑکیوں سے چھلیں کرتا پھرے، لیکن محبوبہ سے یہ توقع رکھے کہ وہ زندگی بھر صرف اسی کو چاہے گی۔ اسی کی منتظر رہے گی۔ بچپن ہی سے اسے الہام ہو جائے گا کہ فلاں مرد آج سے اتنے سال بعد اسے چاہنے آئے گا، جو خود ہر جائی ہو گا اور چاہنے سے پہلے لڑکی کی گزشتہ زندگی کو اچھی طرح کرید کر اپنی تسلی کر لے گا۔

جینی نے اسے وہ سارے وعدے یاد دلائے جو اس نے قسمیں کھا کھا کر کیے تھے۔ وہ محبت بھری باتیں یاد دلائیں جو ہزار بار دہرائی گئی تھیں۔ وہ خواب بتائے جو دونوں نے اکٹھے دیکھے تھے، لیکن اس پر کوئی اثر نہ ہوا۔ وہ تو جیسے کسی بہانے کی تلاش میں تھا۔ دیکھتے دیکھتے جینی میں بے شمار نقص نکل آئے۔ نہ اس کا کوئی خاندان تھا نہ مذہب۔ سوسائٹی میں اس کے لیے کوئی جگہ نہ تھی۔ اس کے خون میں آمیزش تھی۔ اس کی تربیت ایسے والدین کے زیر سایہ ہوئی جن کی زندگی ہمیشہ ناخوشگوار رہی۔ جن میں سب سے بڑا عیب یہ تھا کہ وہ غریب بھی تھے۔ اور پھر جینی کچھ اتنی خوبصورت بھی نہیں تھی۔ اس سے کہیں حسین اور بہتر لڑکی تو ڈے کی والدہ نے ڈھونڈ بھی لی تھی۔ لڑکی کے والد رائے بہادر تھے اور لڑکی کے ساتھ لاکھوں کی جائیداد دے رہے تھے۔ انہوں نے ڈے کو انگلستان بھیجنے کا وعدہ بھی کیا تھا۔

شادی کی تاریخ مقرر ہوئی۔ میرے نام دعوتی رقعہ آیا۔ میں خاموش رہا۔ جینی کو رقعہ بھیجا گیا تو مجھے بہت غصہ آیا۔ طیش میں آکر میں نے کئی منصوبے باندھے۔ سب سے پہلا منصوبہ ڈے کی ہڈی پسلی ایک کر دینے کا تھا، لیکن جینی کے کہنے پر میں نے ارادہ ترک کر دیا۔

شادی پر ہم دونوں گئے۔ جینی شادی کا تحفہ لے کر گئی۔ سب کے سامنے یہ تحفہ کھولا گیا۔ ڈے کی بیوی کے لیے ہار تھا جس میں دل کی شکل کا لاکٹ پرویا ہوا تھا۔

اگلے مہینے جینی نے کالج چھوڑ دیا اور گھر چلی گئی۔

ایک پارٹی میں میرا تعارف ڈے کی بیوی سے ہوا۔ معلوم ہوا کہ اسے دنیا میں اگر کسی چیز سے نفرت تھی تو وہ آرٹ سے۔ یہ سارے مصور' موسیقار' شاعر اسے زہر دکھائی دیتے تھے اور سب سے زیادہ چڑ اسے ان امیر لوگوں سے تھی جو اس قسم کی فضولیات میں پڑ کر اپنا وقت ضائع کرتے تھے۔ بھلا ستار یا وائلن سیکھنے کی کیا ضرورت ہے۔ جب صبح سے شام تک ریڈیو پر ساز بجتے رہتے ہیں۔ مصوری سیکھنے میں کیا تک ہے' جب بازار میں ہر قسم کی تصویریں آسانی سے مل جاتی ہیں۔ اگر کسی نے الفاظ کو توڑ مروڑ کر کچھ شعر گھڑ لیے تو اس پر آنسو بہانے یا بے قابو ہو جانے کی کیا ضرورت ہے۔

آخری امتحان پاس کر کے میں کالج سے چلا آیا۔ مصروفیتوں نے آن دبوچا۔ ملک کے مختلف حصوں میں پھرتا رہا۔ مدتوں تک میں نے جینی کے متعلق نہیں سنا۔

پھر ایک دن ایک پرانا دوست ملا۔ میں نے جینی کا ذکر کیا تو اس نے باتیں سنائیں کہ وہ پہلے سے بالکل بدل چکی ہے۔ ہر جگہ یہی مشہور ہے کہ وہ محبت کے بغیر زندہ نہیں رہ سکتی۔ ایک معاشقہ ختم ہوا ہے تو دوسرا عنقریب شروع ہو گا۔ کالج چھوڑ کر اس نے ملازمت کر لی اور اب بالکل آزادانہ طور پر رہتی ہے۔ ہر شام اس کے ہاں لوگوں کا جمگھٹا ہوتا ہے۔ قسم قسم کے لوگ آتے ہیں۔ نہایت عجیب و غریب ہجوم آتا ہے۔ پھر خوب افواہیں اڑتی ہیں۔ لوگ شیخیاں مارتے ہیں کہ ہم نے یہ کیا وہ کیا۔ میرے کوٹ کے کالر سے جو بال چسپاں ہے وہ جینی کا ہے۔ یہ تصویر جینی نے مجھے دی تھی۔ میرے رومال پر جو سرخی ہے وہ جینی کے ہونٹوں کی ہے۔ اس نے یہ بھی بتایا کہ پچھلے سال وہاں سیلاب آیا تھا۔ لوگ بے گھر ہو گئے۔ پھر قحط پڑا۔ جینی نے کچھ لڑکوں لڑکیوں کو ساتھ لیا۔ گاؤں گاؤں پھر کر مصیبت زدہ مخلوق کی مدد کی۔ امیروں سے فلرٹ کر کے چندہ اکٹھا کیا۔ اپنی صحت اور آرام کا خیال نہیں کیا۔ رات دن محنت کی۔ کئی مرتبہ بیمار ہوئی۔ کچھ اوباش قسم کے لوگ محض جینی کی وجہ سے محتاجوں کی امداد پر تیار ہو گئے۔ اسے چھیڑا' تنگ کیا۔ ایک شام کو بہانے سے اپنے ساتھ لے گئے اور اسے شراب پلانی چاہی۔ جینی نے گروہ کے سرغنے کے بال نوچ لیے' اس کا منہ طمانچوں سے لال کر دیا۔ وہ اتنے گھبرائے کہ اسی وقت جینی کو واپس چھوڑ گئے۔

پھر کسی نے جینی کی تصویر اخباروں میں نکلوادی۔ اس کی تعریف بھی شامل تھی۔ جس پر سب نے یہی سمجھا کہ محض سستی شہرت کی غرض سے جینی نے لوگوں کی مدد کی تھی۔

کچھ عرصے کے بعد ایسا اتفاق ہوا کہ ایک تبادلے نے مجھے جینی کے قریب پہنچا دیا۔ محض چند گھنٹوں کی مسافت تھی۔ ہر دوسرے تیسرے ہفتے میں اسے ملنے جاتا۔ سچ مچ اب وہ پرانی جینی نہیں تھی۔ پہلے سے کہیں تندرست اور چست معلوم ہوتی تھی۔ اس کے چہرے پر تازگی تھی' نیا نکھار تھا۔ ہونٹوں میں رسیلاپن اور رخساروں پر سرخی آچکی تھی۔ اب وہ اک شعلہ فروزاں تھی۔ وہ طرح طرح سے میک اپ کرتی' شوخ و بھڑکیلے لباس پہنتی' جگمگ جگمگ کرتے ہوئے زیور' قسم قسم کی خوشبوئیں۔ وہ ہر موضوع پر بلادھڑک گفتگو کر سکتی تھی۔ کلبوں اور رقص گاہوں میں اسے باقاعدگی سے دیکھا جاتا۔ ہفتے بھر کی شامیں پہلے ہی مختلف مصروفیتوں کے لیے وقف ہو جاتیں۔ پرانی سیدھی سادی جینی کی جگہ اس شوخ و شنگ لڑکی کو دیکھ کر میں کچھ چڑ سا گیا۔ یہ جذبہ محض حسد و رشک کا جذبہ تھا۔ شاید میں برداشت نہیں کر سکتا تھا کہ گفتگو کرتے وقت مجھے بار بار یہ احساس ہو کہ وہ مجھ سے زیادہ جانتی ہے۔ ہر بحث میں وہ مجھے ہرادے۔ تاش کھیلتے وقت میں بغلیں جھانکنے لگوں۔ رقص گاہ میں بعض دفعہ مجھے ایک لڑکی بھی نہ ملے اور اس کے لیے بیسیوں لڑکے بے قرار ہوں۔ اور وہ ایسی چیزوں کا ذکر کرتی رہے جن کا مجھے شوق تو ہے' لیکن ان تک پہنچ ذرا مشکل ہے۔

شام کو اس کے ہاں لوگوں کا ہجوم ہوتا۔ ان میں زیادہ تعداد عشاق کی ہوتی جو طرح طرح سے اپنی محبت کا اظہار کرتے۔ شادی شدہ حضرات اپنی غمگین ازدواجی زندگی کا رونا رویا کرتے کہ کس طرح قدرت نے ان کو دغا دی اور نہایت بدمذاق اور ٹھس طبیعت کی رفیقہ پلے باندھ دی۔ اب ان کے لیے دنیا جہنم سے کم نہیں۔ اب یہ عذاب برداشت نہیں ہو سکتا۔ خودکشی کے سوا اور کوئی اور چارہ نہیں' لیکن اس سیاہ خانے میں امید کی ایک نورانی کرن نظر آتی ہے۔ وہ ہے جینی!

پُرمغز اور ذہین قسم کے لوگ اکثر سیاسیات اور ادب پر بحث کرتے —— کارل

مارکس، فرائیڈ اور مولانا روم کے تذکرے چھیڑتے۔ سیاست دانوں کی غلطیاں گنواتے، مشاہیر پر تنقیدیں کرتے۔ بے لوث اور سچی دوستی کا دم بھرتے، لیکن موقع پا کر عشق بھی جتا دیتے۔

ایک طبقہ نفاست پسند اور نازک اندام لوگوں کا تھا۔ یہ لوگ ہر وقت اپنی کمزوریاں گنواتے رہتے۔ اپنی بیماریوں کا ذکر کرتے۔ اپنے آپ کو بے حد ادنیٰ اور کم تر سمجھتے۔ بار بار جینی سے پوچھتے۔ اگر تمہیں برا معلوم ہوتا ہو تو میں آئندہ نہ آیا کروں؟ اگرچہ ایسا کرنے سے مجھے قلبی، جگری اور روحانی صدمہ پہنچے گا — مگر ہر شام کو آدھمکتے۔

کئی ایسے شرمیلے بھی تھے جو چھپ چھپ کر خطوط لکھتے۔ جینی پر نظمیں کہہ کر اسے بدنام کرتے۔ سامنے آتے تو شرما شرما کر بُرا حال ہو جاتا۔

لیکن سب سے گھٹیا وہ عاشق تھے جو اپنے آپ کو جینی کا بھائی کہتے۔ بھائیوں کی سی دلچسپی لیتے۔ اس کی حفاظت اور بہبودگی کے خواہاں رہتے، لیکن دل میں کچھ اور سوچتے رہتے۔

مجھے یہ تماشا دیکھ کر غصہ آتا۔ آخر یہ لڑکی چاہتی کیا ہے؟ یہ سب کے سب تو اسے پسند آنے سے رہے۔ سارے ہجوم کو برخواست کر کے ان میں سے ایک دو سے ملتی رہا کرے۔ میرا ارادہ بھی ہوا کہ اسے ٹوکوں۔ پھر سوچا کہ بھلا میں اس کا کیا لگتا ہوں۔ دیکھا جائے تو میں خود بھی اسی ہجوم میں سے ایک ہوں، فرق صرف اتنا ہے کہ میں اسے ذرا پہلے سے جانتا ہوں۔

پھر میں نے دیکھا کہ وہ ایک شخص کی جانب ملتفت ہوتی جا رہی ہے۔ یہ انسان بالکل عجیب تھا۔ پہلے پہل تو میں اسے سمجھ ہی نہ سکا۔ یہی سوچتا کہ آخر اس کی زندگی کا مقصد کیا ہے۔ اسے قریب سے دیکھنے پر معلوم ہوا کہ اس کی زندگی کا واقعی کوئی مقصد نہیں۔ اسے کسی چیز پر یقین نہیں تھا۔ محبت، نفرت، زندگی، موت، انسان، خدا — سب سے منکر تھا۔ بات بات پر بحث کرنے کے لیے تیار ہو جاتا۔ سب اس سے کتراتے تھے۔ اسے کامریڈ کے نام سے پکارا جاتا۔ محض جینی کی وجہ سے میں اس سے ملتا ورنہ

میرے دل میں اس کے لیے نفرت تھی۔ یہ نفرت شاید اس دن پیدا ہوئی جب ہم نے پہلی اور آخری بحث کی۔ کامریڈ عورتوں کو ہمیشہ برا بھلا کہتا۔ ان پر نکتہ چینیاں کرتا۔ ایک روز میں نے اختلاف کیا۔ عورت کی زندگی کی ان گنت مجبوریاں جتلائیں۔ لڑکی کی پیدائش کو نامبارک سمجھا جاتا ہے۔ لڑکوں کے مقابلے میں اس کی پرورش میں کوتاہی برتی جاتی ہے۔ بھائی اسے ڈانٹتے دھمکاتے ہیں۔ اس کا حصہ چھین لیتے ہیں۔ اس کے دل میں احساس کمتری پیدا کر دیتے ہیں۔ پھر بڑی ہو جانے پر کنبے اور پڑوسیوں کی تنقید شروع ہو جاتی ہے' دوپٹے کا سر سے اتر جانا خاندان کی ناک پر اثر انداز ہوتا ہے۔ ذرا سی بھول اسے زندگی بھر کے لیے مجرم بنا دیتی ہے۔ کالج میں اسے فلسفہ سکھایا جاتا ہے۔ مساوات اور آزادی کے سبق دیے جاتے ہیں۔ لیکن جب شادی کا سوال آتا ہے تو اس سے کوئی نہیں پوچھتا۔ اسے وہی کرنا پڑتا ہے جو چند خشک مزاج بزرگ چاہتے ہیں۔ لیکن لڑکوں کی زندگی بالکل مختلف ہے۔ وہ بڑی آسانی سے جھوٹی قسمیں کھا کر لڑکیوں کو دھوکا دے سکتے ہیں۔ محبت کا واسطہ دلا کر سب کچھ منوا سکتے ہیں اور سلیٹ کی طرح بار بار سب کچھ صاف ہو جاتا ہے۔ ان کا ماضی کوئی معنے ہی نہیں رکھتا۔ ان کے لیے بیاہ شادی کھیل ہے لیکن لڑکیوں کے لیے شادی نئی مصیبتوں کا پیش خیمہ بنتی ہے۔ بیوی بن کر بچوں کی پرورش' معاشی بے بسی' ذرا ذرا سی بات کے لیے خاوند کی طرف دیکھنا پڑتا ہے۔ عمر رسیدہ ہو جانے پر اولاد بے مصرف سمجھتی ہے۔ مذاق اڑاتی ہے۔

کامریڈ کو میری باتیں بالکل فضول معلوم ہوئیں۔ وہ یہی کہتا رہا کہ ویسے عورت اور مرد برابر ہیں' لیکن مرد کا رتبہ دماغی اور جسمانی لحاظ سے بلند ہے۔ اس نے دونوں کے دماغ کی بناوٹ اور اس کے وزن کا ذکر بھی کیا۔ مرد کے لمبے قد اور مضبوط بازوؤں کا حوالہ دیا۔

اس کے بعد میری اور اس کی کبھی بحث نہیں ہوئی۔

پتہ نہیں اس کا ذریعۂ معاش کیا تھا' وہ رہتا کہاں تھا۔ اس کی گزشتہ زندگی کہاں اور کیسے گزری۔ بس یہ مشہور تھا کہ وہ جینی کا مداح ہے۔

جینی ان دنوں بڑی ٹھوس قسم کی کتابیں پڑھتی۔ مشکل سے موضوع پر خشک اور سنجیدہ کتابیں۔ جب وہ دونوں باتیں کرتے تو بہت کم لوگ سمجھ سکتے کہ کس

مضمون پر گفتگو ہو رہی ہے۔ ان دونوں کی دوستی کا یہ پہلو مجھے بہت اچھا معلوم ہوتا۔ جینی کی مدلّل اور ذہین باتیں ظاہر کرتیں کہ وہ ذہنی ارتقاء کی منزلیں بڑی تیزی سے طے کر رہی ہے۔

ہم پک نِک پر گئے۔ ایک تاریخی عمارت کو ہم نے بارہا دیکھا تھا، لیکن جب جینی نے ایک خاص زاویے سے ہمیں دیکھنے کو کہا تو یوں معلوم ہوا جیسے اس باغ اور عمارت کو آج پہلی مرتبہ دیکھا ہے۔ کامریڈ اچھل پڑا۔ بولا صرف ایک آرٹسٹ کی آنکھ اس زاویے کو چن سکتی تھی۔ جب قصے کہانیاں ہو رہی تھیں تو ایک لڑکا اپنا رومان سنانے لگا۔ اسے ایک لڑکی دور دور سے دیکھا کرتی۔ اشارے ہوتے، پتھروں سے لپٹے ہوئے خطوط پھینکے جاتے، عہد و پیمان ہوتے لیکن وہ فاصلہ اتنے کا اتنا تھا۔ نہ وہ خود قریب آتی نہ آنے دیتی۔ تنگ آ کر اس نے چھت پر جانا چھوڑ دیا۔ کئی دنوں کے بعد گیا تو لڑکی نے بڑی منت سماجت کی۔ اس نے صاف کہہ دیا کہ اگر اب بھی قریب نہ آنے دو گی تو آئندہ کبھی چھت پر نہ آؤں گا۔ بڑی مشکلوں کے بعد وہ رضامند ہوئی۔ بار بار یہی کہتی۔ آپ وعدہ کیجیے کہ مجھ سے نفرت تو نہیں کرنے لگیں گے۔ اس نے وعدہ کیا تو مانی۔ یہ اسے ملنے گیا لڑکی نہایت حسین تھی، لیکن اس کی آنکھوں میں نقص تھا۔ وہ بھینگی تھی۔

اس پر بڑے قہقہے پڑے۔ ہنستے ہنستے لوگ دوہرے ہو گئے۔ لیکن جینی خاموش رہی، اس کی آنکھیں نمناک ہو گئیں۔ دیر تک وہ چپ چاپ رہی۔ مجھے بھی اس کہانی نے اداس کر دیا۔ یہ کہانی ہرگز مضحکہ خیز نہیں تھی۔

باغ کے گوشے میں ایک کنواں تھا جس کے متعلق مشہور تھا کہ اس میں جھانک کر جو خواہش کی جائے پوری ہو جاتی ہے۔ ہر ایک نے کچھ مانگا۔ جب جینی کی باری آئی تو اس نے کہا کہ مجھے کسی سے بھی کچھ نہیں چاہیے۔ مجھے کسی کی مدد کی ضرورت نہیں۔ کوئی ارضی یا سماوی طاقت مجھے کچھ نہیں دے سکتی۔ بس مجھے ایک زندگی ملی ہے اور مجھے زندہ رہنا ہے۔

کامریڈ عش عش کر اٹھا۔ کہنے لگا کہ جینی کا یہ نظریہ صحیح ترین نظریہ ہے۔ ایسی دنیا میں جہاں لوگ اب تک بارش کے لیے دعا مانگتے ہیں، اس سے بہتر نظریہ نہیں ہو سکتا۔ کوئی کسی کے لیے کچھ نہیں کر سکتا، تقدیر اور قسمت وغیرہ فضول چیزیں ہیں۔

ہر شخص اپنے گرد بچھے ہوئے جال میں گرفتار ہے۔ اپنے خیالات سے مجبور ہے۔ زندگی کے اٹل ارادے' شدید جذبے' سب حوادث کے غلام ہیں۔ ہم اس لیے ایک دوسرے کے دوست ہیں کہ اتفاق نے ہمیں ملادیا۔ اسی طرح محض اتفاق سے ہم ان لوگوں کی رفاقت سے محروم ہیں جنہیں اگر ملتے تو شاید گہرے دوست بن جاتے۔

پھر ایک روز وہی کامریڈ جو افلاطونی دوستی اور خلوص کے گن گایا کرتا تھا' جینی کو اپنے ساتھ لے گیا۔ انہوں نے اکٹھے چائے پی' پکچر دیکھی' چھوٹے موٹے تحفے خریدے۔ جب ٹیکسی میں دونوں واپس آرہے تھے تو اس نے جینی کو چومنے کی کوشش کی۔ جینی نے ٹیکسی ٹھہرالی۔ جتنے روپے کامریڈ نے اس شام صرف کیے تھے اس کے منہ پر مارے اور واپس چلی آئی۔

کامریڈ کئی روز تک غائب رہا۔ پھر معافی مانگنے آیا۔ جینی نے کہا کہ مجھے طیش نہیں آیا' مایوسی ہوئی ہے۔ میں تمہیں ان سب سے مختلف سمجھتی تھی۔ میرا خیال تھا کہ تم اس ہجوم میں سے نہیں ہو لیکن تم میں اور دوسروں میں کوئی فرق نہیں۔

کامریڈ نادم تھا' بولا۔ ''میرے نظریے خواہ کیسے ہوں' میں انسان بھی ہوں۔ تم میں اتنی زبردست کشش ہے کہ میری جگہ کوئی اور بھی ہوتا تو یہی کرتا۔ میں نے کبھی تمہارے چہرے کو غور سے نہیں دیکھا' تمہاری بے چین روح کو دیکھا ہے اور یہی روح مجھے عزیز ہے۔ اگر تمہارے خدوخال بہتر ہوتے اور تم زیادہ خوبصورت ہوتیں تو تمہاری زندگی مقابلتاً آسان ہوتی' لیکن تم اتنی صلاحیتوں کی مالک نہ ہوتیں' تمہاری روح اتنی حسین نہ ہوتی۔''

جینی عورت تھی۔ کامریڈ کے رنگین فقروں نے اسے موہ لیا۔ اس کی آنکھیں جھک گئیں۔ دل دھڑکنے لگا۔ رخسار سرخ ہوگئے۔ جب کامریڈ نے بازو پھیلائے تو جینی نے مزاحمت نہ کی۔ اس کے بعد کامریڈ کی گفتگو کا انداز بدل گیا۔ ''محبت ایک دوسرے کی طرف دیکھتے رہنے کا نام نہیں' بلکہ دونوں کا ایک سمت میں دیکھنے کا نام ہے۔'' ''محبت میں اگر رفاقت کی آمیزش ہو تو وہ انتہائی بلندیوں تک جا پہنچتی ہے۔'' اسی قسم کی باتیں بار بار دوہراتا۔

کبھی کبھی وہ مجھے کافی دلچسپ معلوم ہوتا۔ اس کی چند چیزیں پسند بھی تھیں۔

اس کی صحرا نوردیاں' بے چین طبیعت' سیلانی پن۔ لیکن اس کے شکست خوردہ نظریے' بلاوجہ کا حزن' تلخ خیالات' بُرے معلوم ہوتے۔ وہ قنوطی تھا اور اذیت پسند۔ اس نے کبھی زندگی کا مقابلہ نہیں کیا۔ مسرت کو آتے دیکھ کر وہ ہمیشہ راستہ کترا جاتا۔ اپنے آپ کو مظلوم سمجھتا۔ دنیا بھر کا ستایا ہوا۔ اس کا ارادہ تھا کہ عمر بھر اسی طرح سرگرداں رہے گا۔ اس کی منزل کہیں نہیں ہے۔

میرا تبادلہ ہوا تو جینی مجھے چھوڑنے اسٹیشن پر آئی۔ جدا ہوتے وقت میں نے رومال مانگا۔ پوچھنے لگی کہ رومال لے کر کیا کرو گے؟ کہاں رومال تمہاری شوخ مسکراہٹوں کی یاد دلاتا رہے گا۔ بولی تم ہر مرتبہ رومال ہی کیوں مانگتے ہو؟ بتایا کہ اس کی مخمور کن خوشبو اور ننھے سے سرخ دل کی وجہ سے۔

اگلے سال مجھے کسی نے بتایا کہ کامریڈ جینی کو چھوڑ کر چلا گیا۔ وہ بالکل ویسے کا ویسا رہا۔ جینی کی تمام کوششیں اس میں کوئی تبدیلی نہ لا سکیں۔ چلتے وقت اس نے جینی سے کہا کہ بے سروسامانی اس کی تقدیر میں ہے۔ اس کی منزل مفقود ہے۔ وہ جینی سے محبت کرتا رہے گا۔ اس کی تصویر دل سے لگا کر رکھے گا۔ دوسرے شہروں سے اسے خط لکھا کرے گا۔ اسے ہمیشہ یاد رکھے گا—اور بس!

جینی نے اس کا تعاقب کرنا چاہا۔ جو کچھ اس کے پاس تھا فروخت کر دیا۔ پتہ نہیں وہ اسے ملا یا نہیں۔ جب وہ واپس آئی تو طرح طرح کی افواہیں پھیلی ہوئی تھیں۔ جینی کے والد نے جو اب تنہا رہتا تھا' اسے سخت سُست کہا اور گھر سے نکال دیا۔ کچھ اوباش قسم کے لوگوں نے اس کی مدد کرنی چاہی' لیکن جینی وہ شہر چھوڑ کر کہیں نکل گئی۔

کینزی سے میں سمندر پار ملا۔ وہ ہندوستانی تھا۔ لوگ اس کی حرکتوں کی وجہ سے اسے کیزانووا کہتے' اسی سے یہ نام پڑ گیا۔ پہلی ملاقات ایران کے شمالی پہاڑوں کے ایک کیمپ میں ہوئی۔ ہم نے قصبے سے کچھ شہریوں کو بلایا ہوا تھا۔ میس کے خیمے میں باتیں ہو رہی تھیں کہ وہ ایک روسی افسر سے لڑ پڑا۔ لڑائی کی وجہ ایک روسی لڑکی تھی۔ کینزی نے فوراً اسے ڈوئل کی دعوت دی۔ روسی نے اسے اپنے ریوالور سے پانچ

گولیاں نکال لیں اور کینڑی سے بولا۔ ہم اسے باری باری اپنے کان میں چھوا کر چلائیں گے۔ اس میں صرف ایک گولی ہے' جس کی قسمت میں گولی لکھی ہو گی اس کے دماغ میں سے نکل جائے گی۔ کینڑی پیئے ہوئے تھا فوراً راضی ہو گیا۔ پہلا فائر کینڑی نے اپنے آپ پر کیا' وہ خانہ خالی نکلا۔ دوسرا فائر روسی نے کیا' کچھ نہ ہوا' کینڑی تیسرا فائر کر چکا تو ہم نے بڑی مشکلوں سے انہیں علیحدہ کیا۔ کینڑی کو یقین نہیں تھا کہ ریوالور میں گولی ہے۔ اس نے یونہی لبلبی دبادی' دھماکا ہوا۔ گولی خیمے کی دیوار چیر گئی۔

اس کا تبادلہ ہوا اور وہ ہمارے کیمپ میں آ گیا۔ ہم دونوں بہت جلد دوست بن گئے۔

شہر کے حاکم نے اسے دعوت دی۔ ہم دونوں گئے۔ نہایت دلچسپ پروگرام تھا۔ آغا نے کینڑی کا تعارف ایک نہایت خوبصورت لڑکی سے کرایا۔

کینڑی اس سے گھل مل کر باتیں کر رہا تھا۔ محفل گرم ہوتی جا رہی تھی کہ یکایک گھڑی دیکھ کر کینڑی اٹھ کھڑا ہوا۔ اس نے مجھے بتایا کہ دوسرے کیمپ کے قریب کسی لڑکی سے رات کو ملنے کا وعدہ کیا تھا۔ سردیوں کی اندھیری رات تھی۔ کیمپ وہاں سے سو میل کے لگ بھگ تھا۔ ہمیں سب نے منع کیا' لیکن کینڑی کا وعدہ تھا کیونکر پورا نہ ہوتا۔ ہم جیپ میں روانہ ہوئے تو ہلکی ہلکی برفباری ہو رہی تھی۔ پہاڑوں کی پیچیدہ دشوار گزار سڑک برف سے سفید ہو چکی تھی۔ ہم اتنی تیزی سے جا رہے تھے کہ موڑوں پر جیپ ہوا میں اٹھ جاتی۔ راستے بھر وہ اپنی محبوبہ کی لافانی حسن کی تعریفیں کرتا رہا۔ جب ہم وہاں پہنچے تو دعوت ختم ہو چکی تھی۔ لڑکی منتظر ملی۔ کینڑی نے میرا تعارف کرایا۔ ان دنوں میں بے حد اداس تھا۔ وطن سے کسی دوست یا عزیز کا خط نہیں ملا تھا۔ میں نے بڑی جذباتی قسم کی گفتگو شروع کر دی۔ اسے یہ باتیں اچھی معلوم ہوئیں۔ ہم ایک گوشے میں جا بیٹھے۔ کینڑی ایک دو بار ہمارے پاس آیا' لیکن جلد اٹھ کر چلا گیا۔ جب لوگ جانے لگے تو اس نے مجھے ایک طرف بلا کر کہا۔

"میں جا رہا ہوں۔ بعد میں تمہارے لیے جیپ بھجوا دوں گا۔"

"اور یہ لڑکی؟" میں نے حیران ہو کر پوچھا۔

"یہ اب تمہاری ہے۔ مَیں یاروں کا یار ہوں۔ تمہارے چہروں کا مطالعہ کرتا

رہا ہوں۔ میں نے تم دونوں کی آنکھوں میں اس روشنی کی چمک بھی دیکھی ہے جو پہلی ملاقات پر بلاوجہ پیدا نہیں ہوتی۔ میں اسے چاہتا ضرور ہوں، لیکن تم بھی میرے دوست ہو۔"

اس کی شخصیت عجیب تھی۔ نہ اسے کسی خطرے کا احساس تھا' نہ کسی مصیبت کا ڈر۔ وہ ہمیشہ کام کر چکنے کے بعد یہ سوچتا کہ یہ کام اسے کس طرح شروع کرنا چاہیے تھا۔ اس کے مزاج میں بلا کی تندی اور گرمی تھی۔ کیسی ہی آفت آن پڑے' وہ کبھی نہ گھبراتا۔ ذرا ذرا سی باتوں پر بڑے سے بڑا خطرہ مول لینے کو تیار ہو جاتا۔ اسے سکون سے نفرت تھی۔ اس سے لڑ' اس سے جھگڑ۔ محاذ سے واپس آیا ہے تو ڈوئل لڑ رہا ہے۔ جوئے میں آج ہزاروں جیتے تو کل سب ہار دیے۔

سب اس کے کامیاب معاشقوں پر رشک کرتے۔ اس کی کامیابی کا راز پوچھتے۔ وہ سر ہلا کر کہتا کہ یہ کچھ بھی نہیں' ہزاروں محبتیں ایسی تھیں جو ادھوری رہ گئیں۔ جو کبھی نہ پنپ سکیں جنہوں نے بار بار میرا دل توڑا۔

ہمارے قریب ایک خوشنما قصبہ تھا۔ گلشن۔ آس پاس کے باشندوں میں کینز ی شہنشاہِ گلشن کے نام سے مشہور تھا۔

پہلے کبھی اس پر قتل کا مقدمہ بن گیا تھا۔ موت کی سزا یقینی تھی۔ پھر عجیب سے حالات میں وہ بری ہو گیا۔ آزاد ہو کر اس نے تہیہ کر لیا کہ وہ بقیہ زندگی کو ایک بالکل نئی زندگی سمجھے گا جو اسے تحفتہً ملی ہے۔ اس زندگی کا گذشتہ زندگی سے کوئی واسطہ نہیں۔ وہ ہمیشہ مسرور رہے گا' جو چیز ناپسند ہوئی اسے فنا کر دے گا' جو بھا گئی اس پر چھا جائے گا۔

محض اتفاق تھا کہ ایسا شخص زندگی کی شاہراہ پر جینی سے ملا۔

اس کا پیار آندھی کی طرح اُمڈا۔ آناً فاناً میں چھا گیا اور طوفان کی طرح اتر گیا۔

وہ چھٹی پر ہندوستان گیا۔ شام کو کسی شناسا لڑکی سے ملاقات کا پروگرام بنا۔ اسے ملنے گیا' وہ نہیں تھی۔ مگر وہاں ایک اور لڑکی سے ملاقات ہو گئی۔ یہ لڑکی جینی تھی جو اپنی سہیلی سے ملنے آئی تھی۔ کینزی نے جینی کو اپنی محبوبہ کا نعم البدل سمجھا اور جتنے دن وہاں رہا اسے نعم البدل سمجھتا رہا۔ اس نے قیمتی تحفوں کی بارش کر دی۔ اپنی دلچسپ

باتوں اور رنگین کہانیوں سے جینی پر جادو کر دیا۔ بھڑکیلی کاروں میں اسے لیے لیے پھرا۔ ایک چاندنی رات کو جب وہ سمندر میں تیرنے گئے تو ریت پر بیٹھ کر اس نے محبت کا واسطہ دے کر جینی کو شیمپین پلائی۔ عمر بھر باوفا اور صادق رہنے کا حلف اٹھایا۔ ہمیشہ اکٹھے رہنے کے عہدو پیمان کیے۔ یہ سب کچھ اس قدر پُر خلوص تھا کہ جینی نے سچ مان لیا۔

اس آغاز کے بعد انجام وہی ہوا جس کی توقع کی جا سکتی تھی' جو ناگزیر تھا۔ جینی کی زندگی میں وہ جس طرح آیا تھا اس طرح چلا گیا۔

محاذ پر جینی کی یاد اس کے دل سے مکمل طور پر نہ گئی۔ جب کبھی اسے کوئی ٹھوکر لگتی' جب دیر تک تنہا رہنا پڑتا' کوئی بری خبر سننے میں آتی' اداسیاں عود کر آتیں تو اسے جینی کی معصومیت' اس کا خلوص اور پیار یاد آتا۔ رات کی تنہائی میں ہم دونوں دیر تک خیمے میں بیٹھے رہتے۔ باہر سرد ہواؤں کے جھکڑ چلتے تو وہ جینی کو یاد کرتا۔ اپنے جھوٹے وعدوں کو یاد کر کے شرمندہ ہوتا۔ اپنے آپ کو گنہگار سمجھتا۔ بار بار کہتا کہ جینی ان سب لڑکیوں سے مختلف تھی جو اس کی زندگی میں آئیں۔ اگر اس کی زندگی میں شادی کی کوئی گنجائش ہوتی تو وہ جینی سے ضرور شادی کرتا۔ وہ نہایت غیر معمولی لڑکی تھی' اسے کسی نے سمجھا نہیں۔ کسی کی نگاہیں اس کے خدوخال سے آگے نہیں پہنچیں۔ اس کی روح کی عظمت کو کسی نے نہیں پہچانا۔ اس میں کسی مصور کی روح تھی' کسی عظیم شاعر اور بت تراش کی روح اس میں اتنی صلاحتیں تھیں کہ اس کی رفاقت کسی کی بھی زندگی چمکا سکتی تھی۔ اس میں بلا کی معصومیت تھی۔ اس میں سیتا کا تقدس تھا۔ مریم کی پاکیزگی تھی۔ اس نے کئی مردوں سے محبت نہیں کی' بلکہ صرف ایک مرد سے محبت کی۔ ایک مرد جسے اس نے کلبلاتے رینگتے ہجوم سے چنا اور دوسروں سے مختلف سمجھا۔ لیکن اس مرد نے اسے ہمیشہ دھوکا دیا۔ اس کی مسکراہٹ کیسی تھی۔ بالکل مونا لزا کی مسکراہٹ۔ معصوم' اتھاہ اور پراسرار۔ اس کی مسکراہٹ کے سامنے کینز ی جیسا انسان بھی کانپ اٹھا تھا۔

لیکن ایسی باتیں وہ کبھی کبھی کیا کرتا۔

اس کے بعد ایک طویل وقفہ آیا۔ یہ وقفہ ایسا تھا کہ اس نے سب کچھ بھلا دیا۔ جینی بھی یاد نہ رہی۔ میں ہزاروں میل کے فاصلے سے واپس ملک میں آیا تو دوبارہ دور

بھیج دیا گیا۔ اس عرصے میں کبھی کوئی پرانی یاد تازہ ہو جاتی اور خیالات کے تسلسل میں جینی یاد آجاتی تو یہ سوچتا کہ غالباً اب اس سے کبھی ملاقات نہیں ہو گی۔

لگاتار تنہائی اور بہت سے کٹھن لمحوں کے بعد مختصر سی چھٹی ملی۔ میں قریب کی پہاڑیوں پر چلا گیا۔ وہ علاقہ نہایت سرسبز و شاداب تھا۔ دور دور تک چائے کے باغات تھے اور مالدار سوداگروں کی آبادیاں۔ جہاں میں گیا تھا وہاں خوب رونق تھی۔ میری طرح بہت سے فوجی چھٹیاں گزارنے آئے ہوئے تھے۔ چند ہی دنوں کے بعد محسوس ہونے لگا کہ باوجود اتنی چہل پہل اور شور و شغب کے وہ احساسِ تنہائی کم نہیں ہوا جو مجھے وہاں کھینچ کر لایا تھا۔ ایک روز میں یونہی کھویا کھویا سا پھر رہا تھا کہ جینی مل گئی۔ اسے دور دراز خطے میں اسے پا کر مجھے از حد مسرت ہوئی۔ اس مرتبہ تو وہ پہلے سے بالکل مختلف معلوم ہوئی۔ اس کی باتوں میں حزن کی آمیزش تھی۔ اس کے چہرے پر پژمردگی تھی، لیکن ایسی پژمردگی جس میں عجب جاذبیت تھی جو حسن و شباب کی تازگی سے کہیں دلفریب معلوم ہو رہی تھی۔ اس مسکراہٹ میں افسردگی کی رمق نے ایک عجیب وقار پیدا کر دیا تھا۔

وہ وہاں اپنے کسی عزیز کے ہاں رہتی تھی جو چائے کا سوداگر تھا۔ وہ بھی اپنے آپ کو تنہا محسوس کر رہی تھی۔ کلب، رقص، پارٹیاں، پک نِک۔ سب بے حد اکتا دینے والے تھے۔ وہاں اس کا صرف ایک واقف تھا، اسی کمپنی کا ایک بوڑھا ملازم جو تنہا رہتا، جس کی زندگی کا سب سے قیمتی خزانہ کتابیں تھیں۔ کام سے لوٹ کر وہ بڑے اہتمام سے کتابیں نکالتا۔ پھر دونوں پڑھتے، بحث کرتے، جھگڑتے۔ اب ہم تین ساتھی ہو گئے۔ چھٹی کے بقیہ دن یوں گزرے کہ پتہ بھی نہ چلا۔ واپس آکر میں نے تبادلہ کرا لیا اور جینی کے پاس چلا آیا۔ ہم جنگلوں میں نکل جاتے، سیریں کرتے، کتابیں پڑھتے، بچوں کی طرح ہنستے کھیلتے۔ مَیں اسے جتنا قریب سے دیکھتا اتنی ہی نئی خوبیاں پاتا۔ وہ بہترین رفیق تھی۔ اکثر یوں محسوس ہوتا جیسے میں اسے پہلے کبھی ملا ہی نہیں۔ اس کی بے پناہ جاذبیت سے آشنا نہیں ہوا۔ ہم رقص پر جاتے تو وہ لگاتار میری جانب متوجہ رہتی۔ اس کی نگاہیں میرے چہرے پر جمی رہتیں۔ مجھے اس پر فخر ہونے لگتا۔

ہم ایک دوسرے کے قریب خاموش بیٹھے پڑھتے رہتے۔ کئی کئی گھنٹوں تک ایک بات بھی نہ ہوتی، لیکن ہمارے خیالات ہم آہنگ ہوتے۔ دلوں میں طمانیت

ہوتی۔ خاموشی اور گویائی کا فرق بالکل مٹ جاتا۔ یوں لگتا جیسے ہم باتیں کر رہے ہوں۔ پتہ نہیں وہ کون سا رشتہ تھا جس نے اب تک ہم دونوں کو قریب رکھا۔ غالباً دوستی کا جذبہ۔ یہ قُرب اس قدر اہم ہو گیا کہ ذرا سی جدائی بھی شاق گزرنے لگی۔

ایک روز میں نے اس کی کتابوں میں نظموں کی کاپی دیکھی۔ یہ نظمیں جینی نے لکھی تھیں۔ یہ نظمیں کس قدر حزینہ تھیں، کتنی کرب انگیز اور دردناک۔ میں نے اس سے پوچھا کہ یہ اس نے کب اور کن حالات میں لکھیں؟ یہ اس کی لکھی ہوئی ہرگز نہیں معلوم ہوتیں، کیونکہ جس جینی کو میں جانتا ہوں وہ تو دلیر اور نڈر ہے۔ اس نے کوئی جواب نہ دیا اور خاموش رہی۔

ایک سہ پہر کو ہم سیر سے واپس آ رہے تھے کہ بارش شروع ہو گئی۔ پہلے تو درختوں کے نیچے چھپتے رہے۔ جب موسلادھار مینہ برسنے لگا تو بھاگ کر ایک شکستہ جھونپڑی میں پناہ لی۔ میں نے اپنا کوٹ سوکھی ہوئی گھاس پر بچھا دیا۔ ہم دونوں بیٹھ گئے۔ کچھ دیر خاموشی رہی۔ میں نظموں کی باتیں کرنے لگا۔ یونہی چھیڑنے کو کہا کہ پہلے تو کبھی بھولے سے بھی کوئی شعر اس کی زبان پر نہ آتا تھا۔ اب ہزاروں اشعار زبانی یاد ہیں۔ کہیں اسے کوئی شاعر تو نہیں پسند آ گیا تھا؟ اس کا چہرہ اتر گیا۔ آنکھوں میں آنسو آ گئے۔ میں نے معافی مانگی۔ شاید کوئی دکھتی ہوئی رگ چھیڑ دی تھی یا تلخ یادیں تازہ کرا دی تھیں۔ اس کا ہاتھ اپنے ہاتھ میں لے لیا۔ دوبارہ معافی مانگی ایک پھیکی سی مسکراہٹ اس کے لبوں پر آ گئی۔ جب وہ میرے شانے سے سر لگائے بیٹھی تھی تو ایسی ننھی منی بچی معلوم ہو رہی تھی جو راستہ بھول گئی ہو۔ بالکل بے یار و مددگار ہو اور سہارے کی طالب ہو۔ میں نے اس کے آنسو خشک کیے۔ دونوں ہاتھوں میں اس کے چہرے کو تھام کر پیار کیا۔ ان بارہا چومے ہوئے ہونٹوں پر اب تک تازگی تھی۔ ان آنکھوں میں اب تک معصومیت تھی۔ ان رخساروں پر وہی جلا تھی۔ یہ لڑکی اب تک وہی لڑکی تھی جسے میں نے برسوں پہلے جی بی کے ساتھ مباحثے میں دیکھا تھا۔

اس کی زندگی کی ایک کہانی ایسی بھی رہ گئی تھی جو میں نے نہیں سنی تھی۔ یہ کہانی اس نے خود سنائی۔ یہ ایک شاعر کے متعلق تھی جو شرابی تھا، جواری تھا، غیر ذمہ دار

تھا' جھوٹا تھا۔ اپنی خودداری اور انفرادیت کو خیر باد کہہ چکا تھا۔ جس کی حرکتیں دیکھ کر افسوس کی بجائے غصہ آتا۔ جینی ہمیشہ اس پر ترس کھاتی۔ ہر ممکن طریقے سے اس کی مدد کرتی۔ سفارشیں کر کر کے اس کا کلام چھپوایا۔ اسے اِدھر اُدھر متعارف کرایا۔ اس کی حوصلہ افزائی کی کہ شاید یہ اسی طرح سُدھر جائے۔ اس کی زندگی بہتر بن سکے اور وہ بیش بہا خزانہ جو اس کے دماغ میں محفوظ ہے کہیں ضائع نہ ہو جائے۔ ترس کا یہ جذبہ دن بدن بڑھتا گیا۔ جینی غیر شعوری طور پر اس کے قریب ہوتی گئی۔ پھر اس جذبے نے ایک اور شکل اختیار کی۔ جینی کو خود علم نہیں تھا کہ جسے وہ محض جذبہ ترحم سمجھ رہی ہے ایک دن محبت کا پیش خیمہ ثابت ہو گا۔ جینی نے ایک آوارہ و بے خانماں کو پناہ دی۔ اپنی توجہ اور اپنا پیار ایسے انسان پر ضائع کیا جو ہرگز اس کا حق دار نہ تھا۔ وہ سدھرتا جا رہا تھا۔ اس کی حالت پہلے سے بہتر ہوتی جا رہی تھی۔ وہ کہا کرتا کہ اسے جینی کی گذشتہ زندگی سے کوئی سروکار نہیں۔ اب تو اسے اپنی گزشتہ زندگی سے تعلق نہیں رہا تھا۔ اس کی زندگی تب سے شروع ہوئی جب اس نے جینی کو پہلی مرتبہ دیکھا۔ پتہ نہیں اس سے پہلے وہ کیونکر جیتا رہا' لیکن اب وہ جینی کے بغیر زندہ نہیں رہ سکتا۔ اس نے اپنی نظموں میں بارہا جینی کو مخاطب کیا تھا۔ "تمہارے دل سے خلوص کے چشمے ابلتے ہیں۔ محبت کا قلزم رواں ہے۔ تمہارے دل میں وہ جذبات ہیں جن پر رات دن کا تسلسل قائم ہے' زمین و آسمان کی گردش قائم ہے۔ وہ جذبات جو جب فنا ہو گئے انسانیت فنا ہو جائے گی۔ دنیا چاند ستاروں کی طرح اجاڑ اور سنسان رہ جائے گی۔ یہاں کچھ بھی نہ رہے گا۔"

ایک روز اس نے جینی کو بتایا کہ وہ بیمار ہے' اسے دق ہے۔ کبھی کبھی یہ بیماری عود آتی ہے کاش کہ وہ تندرست ہوتا' تب یقیناً وہ دونوں شادی کر لیتے۔ زندگی کتنی سہانی ہو سکتی تھی۔ کیسی کیسی راحتیں میسّر ہوتیں۔ تب وہ سب اذیّتیں بھول جاتیں جو دنیا کے جہنم میں اب تک برداشت کی تھیں۔

وہ یونہی آوارگی میں مرنا چاہتا تھا' لیکن بڑی مشکلوں سے جینی نے اسے سینی ٹوریم میں بھجوایا۔ اس کا فالتو خرچ برداشت کرنے کے لیے وہ دن بھر دفتر میں کام کرتی۔ رات کو ٹیوشن پر لڑکیوں کو پڑھاتی۔ لگاتار محنت نے اسے کمزور کر دیا۔ وہ بیمار رہنے لگی۔ وقت گزرتا گیا۔ ایک دن اسے معلوم ہوا کہ شاعر صرف اسی کے لیے

نظمیں نہیں کہتا۔ اس کے تخیل میں کوئی اور بھی شریک ہے۔ یہ سینی ٹوریم کی ایک نرس تھی جسے وہ بعد میں ملا تھا۔

جینی نے اس افواہ پر توجہ نہ دی۔ یونہی کسی نے اڑادی ہو گی۔ وہ وہاں رات دن ایک سے ماحول میں رہ رہ کر تھک گیا ہو گا۔ اسے تفریح بھی تو چاہیے۔ کس سے ہنسنے بولنے میں کوئی حرج نہیں۔ جب وہ اس سے ملنے جاتی تو نرس کے لیے بھی تحائف لے جاتی۔ ان دونوں کی دوستی پر اس نے کبھی شبہ نہیں کیا لیکن یہ افواہ محض افواہ نہیں رہی۔ شاعر سینی ٹوریم سے تندرست ہو کر آیا تو اس نے شادی کر لی۔ نرس کے ساتھ۔ جینی پھر بھی اسے ملتی رہی' اسے مالی مدد دیتی رہی۔ آخر نرس نے ان ملاقاتوں پر اعتراض کیا کہ جینی جیسی لڑکی سے ملنا بدنامی مول لینا ہے۔ شاعر نے اس اعتراض کو سر آنکھوں پر لیا اور جینی سے ملنا چھوڑ دیا۔ موقع ملنے پر وہ اسے بدنام بھی کرتا۔ غزلوں میں اپنے کارنامے بیان کرتا اور جینی کے پرانے عاشقوں کے قصے دہراتا۔

جب وہ کہانی سنا چکی تو میں نے اسے بتایا کہ ہم پرانے دوست ہیں۔ دوستی عظیم ترین رشتہ ہے۔ خلوص پر میرا ایمان ہے۔ میں انسانی کمزوریوں سے ہرگز منکر نہیں۔ شاید مجھے اچھے برے کی تمیز نہ ہو' لیکن ان جذبات کی قدر کرتا ہوں جن میں خلوص کار فرما ہو۔ خواہ ان جذبات کا انجام کیسا ہی ہو۔ زندگی میں تبدیلیاں آتی رہتی ہیں— ذہنی کیفیتیں بھی دیرپا نہیں ہوتیں۔ لیکن وہ جذبات جو اپنے وقت پر صادق تھے' ہمیشہ صادق رہتے ہیں۔ اس لیے وہ مد و جذر جو تمہاری زندگی میں آئے ناگزیر تھے۔ تم سچی تھیں تمہارے جذبات سچے تھے میں نے تمہیں بہت قریب سے دیکھا ہے۔ تمہیں پسند کرنے کے علاوہ میں تمہاری عزت بھی کرتا ہوں۔

آہستہ آہستہ اس نے لوگوں سے ملنا چھوڑ دیا۔ باہر جانا بند کر دیا۔ وہ ہر وقت میری منتظر رہتی۔ لیکن اب وہ مسرور نہیں تھی۔ اب اسے ماضی یا حال کا اتنا خیال نہیں رہا تھا جتنا کہ مستقبل کا۔ وہ تنہا اور اداس تھی۔ کئی مرتبہ میں نے اسے قبرستان میں بیٹھے دیکھا۔ ایک روز میں وہاں اس کے پاس چلا گیا۔ وہ عجیب سی باتیں کرنے لگی۔ ''کبھی ایسے پرسکون لمحات بھی آئیں گے جب میں بھی اسی طرح سو جاؤں گی؟ وہ خاموشی کتنی سہانی ہو گی؟ موت کے بعد اگرچہ محض خلأ ہو گا۔ دلدوز تاریکی ہو گی۔

لیکن وہ تاریکی اس کرب انگیز اجالے سے ہرگز بری نہیں ہو گی۔" پھر اپنا انگریزی میں لکھا ہوا یہ شعر دوہرایا—"میں ان بدنصیبوں میں سے ہوں جنہیں ہر صبح نہایت قلیل روشنی ملتی ہے' امید کی اتنی سی جلاء کہ صرف دن بھر زندہ رہ سکیں۔ جس روز یہ روشنی نہ مل سکی میں ظلمتوں میں کھو جاؤں گی۔"

میں نے رنگین اور خوشنما چیزوں کی باتیں کر کے موضوع بدلنا چاہا' لیکن وہ بولی۔ "کاش تم اندازہ لگا سکتے کہ میں کس قدر غمگین ہوں؟ کس قدر افسردہ ہوں؟ اور اگر اب مجھے سہارا نہ ملا تو میرے خواب تمام ہو جائیں گے۔ اصول ختم ہو جائیں گے اور میں گم ہو جاؤں گی۔"

پھر ایک دن جب میں ان افواہوں کی تردید کرنا چاہتا تھا جو ہم دونوں نے بارہا اپنے متعلق سنی تھیں تو وہ کہنے لگی۔ "تم مجھے جانتے ہو' سمجھتے ہو۔ میں بھی تمہاری سیّاح روح سے آشنا ہوں۔ تمہارے ان گنت مشغلوں' طرح طرح کے خوابوں کا مجھے احساس ہے۔ مَیں تم سے ذرا سی توجہ مانگتی ہوں' بالکل ذرا سا سہارا۔ اپنی زندگی کا قلیل سا حصہ مجھے دے دو' میں ہمیشہ قانع رہوں گی۔ میں کبھی تم پر بار نہیں بنوں گی۔ تم میرا ساتھ نہ دینا میں تمہارے ساتھ چلوں گی۔"

میں اس اشارے کو سمجھ گیا۔ پہلے بھی کئی مرتبہ اس نے ایسی باتیں کی تھیں۔ میں یہ بھی جانتا تھا کہ عورت اور مرد کی دوستی نہایت محدود ہے۔ اس پر کئی اخلاقی اور سماجی بندشیں عائد ہیں اور یہ بندشیں ایک حد تک درست بھی ہیں۔ آخر ایک مقام آتا ہے جہاں فیصلہ کرنا پڑتا ہے۔

میں اس مقام سے لوٹ آیا۔

فیصلہ کرنے کا وقت آیا میں بزدل ثابت ہوا' میں خاموش ہو گیا۔ خاموش ہو کر میں اس گروہ میں شامل ہو گیا جو جینی کی زندگی میں مجھ سے پہلے آیا۔ گروہ جو بظاہر اپنے آپ کو باغی ظاہر کرتا' لیکن دراصل سماجی روایات کا غلام تھا۔ جینی سمجھ گئی۔ پھر اس نے کبھی ایسی باتیں نہیں کیں۔ ہم دونوں میں ایک معاہدہ سا ہو گیا۔ اگرچہ یہ معاہدہ زبان پر نہیں آیا' لیکن طے ہو گیا کہ جب تک ایک دوسرے کے قریب ہیں محض پرانے دوستوں کی طرح رہیں گے۔

پھر میں نے تبادلے کے لیے کہا تو مجھے دوسری جگہ بھیج دیا گیا۔ چلتے وقت جینی مجھے چھوڑنے آئی۔ اس کی آنکھوں میں آنسو تھے۔ پہلی مرتبہ میں نے اسے سب کے سامنے روتے دیکھا۔ ان آنسوؤں کے باوجود وہ مسکرانے کی کوشش کر رہی تھی۔ بار بار وہ آنکھیں خشک کرتی۔ اور جب میں نے رومال مانگا تو اس نے بالکل پہلی سی شوخی سے پوچھا کہ رومال لے کر کیا کرو گے؟ میں نے کہا کہ اسے یادگار کے طور پر رکھوں گا۔

"اور میرے آنسو کیونکر خشک ہوں گے؟" اس نے گیلا رومال دیتے ہوئے پوچھا۔

چند مہینوں کے بعد میں نے سنا کہ اس نے کسی سے شادی کر لی۔

جو جواب مَیں نے اس کی مسکراہٹ سے مانگا تھا وہ نہیں ملا۔ پھر یک لخت معلوم ہوا کہ موسیقی ختم ہو چکی ہے۔ رقص ختم ہو چکا ہے اور لوگ کھانے کے لیے دوسرے کمرے میں جا رہے تھے۔ میں اور جی بی بھی چلے گئے۔ جب دیر کے بعد واپس آئے تو جینی جا چکی تھی۔ اس کا خاوند بھی وہاں نہیں تھا۔

مجھے یونہی خیال سا آیا کہ اس مرتبہ جینی سے بہت کم باتیں ہوئیں۔ میں اس سے دور دور رہا۔ نہ اس سے کچھ پوچھا نہ بتایا۔ اس سے رومال بھی تو نہیں مانگا۔

نہ جانے کیوں میں اس گوشے میں چلا گیا جہاں جینی اور اس کا خاوند بیٹھے رہے تھے۔ میں نے دیکھا کہ میز کے پاس ایک مسلا ہوا رومال پڑا ہے جو رقص کرنے والے لوگوں کے قدموں تلے آ چکا تھا۔ میں نے اسے اٹھا لیا' جھاڑا' سلوٹیں دور کیں۔ جانی پہچانی خوشبو سے فضا معطر ہو گئی۔

یہ رومال یہاں کیسے آیا؟ جینی جان بوجھ کر میرے لیے چھوڑ گئی یا یونہی اتفاق سے رہ گیا؟

دیر تک میں اس رومال کو لیے وہاں کھڑا رہا۔ اس روندے ہوئے' مسلے ہوئے سرخ دل کو دیکھتا رہا جو اب تک خمار آگیں خوشبو میں بسا ہوا تھا۔

جینی کا دل —— عورت کا دل۔

دوراہا

چوٹی تک پہنچنے میں اسے بہت دیر لگی۔ موٹر کئی بار رُکی۔ انجن سے جس قسم کی آوازیں آرہی تھیں اسے واپس لوٹ جانا چاہیے تھا۔ اسے یہ اشتیاق تھا کہ اس اونچے پہاڑ کے دوسری طرف دیکھے۔ یہ جانتے ہوئے بھی کہ دوسری طرف بالکل ایسا ہی علاقہ ہوگا لیکن اگر وہ دوسری طرف ہوتا تو اسے یہ تجسّس رہتا کہ اس طرف کیا ہے۔

چوٹی پر پہنچا تو مایوسی ہوئی۔ سامنے ایک معمولی سی وادی تھی۔ بلندیوں پر پہنچ کر مایوس ہونے کا وہ عادی ہو چکا تھا۔ دوسری طرف اترنے لگا۔ یونہی خیال آیا کہ اس مرتبہ موٹر کہیں ایسی جگہ بگڑنی چاہیے جہاں کوئی خوشنما سا کُنج ہو۔ بہتا ہوا چشمہ ہو جس کے کنارے پر سفیدے کے درخت ہوں اور ایک چھوٹا سا گھر جس میں کچھ خلیق لوگ رہتے ہوں۔ جیسا کہ اکثر فلموں میں دیکھایا جاتا ہے چنانچہ یہی ہوا۔ بالکل ایسی جگہ موٹر رک گئی۔ سوچا کہ اب کوئی باہر آئے گا۔ پردوں سے کوئی بادام جیسی آنکھوں والی لڑکی جھانکے گی۔ یوں بھی ہو گیا' بلکہ تعارف تک نوبت آ پہنچی۔ اجنبی ملکوں میں حسن کا معیار مختلف ہوتا ہے۔ وہاں کے حسن کی صحیح قدر ذرا دیر میں محسوس ہوتی ہے۔ بالکل جیسے کافی اور ڈبے کے پنیر کی عادت ذرا کوشش سے پڑتی ہے۔ مگر اس لڑکی میں کچھ ایسی اجنبیت معلوم نہیں ہوئی۔ یوں لگا جیسے اس کے وطن ہی کی کوئی دوشیزہ ہو۔ سادہ سفید لباس' جھکی ہوئی محجوب نگاہیں اور شیریں گفتگو یہ پہلا تاثر تھا۔

اس کا اندازہ صحیح نکلا۔ شام تک موٹر درست نہیں ہوئی۔ چنانچہ اسے ٹھہرا لیا گیا۔

جب وہ اپنے کیمپ کے متعلق بتا رہا تھا تو خانم بولیں۔ ''اچھا تو تم ہندی ہو۔ کاش کہ تم کل آتے۔''

''کیوں کل کیا تھا؟''

''کل ہمارے ہاں ایک سانپ نکلا تھا۔''

اس نے بتایا کہ سانپوں کے متعلق اس کی معلومات صرف اتنی تھیں کہ وہ کاٹ لیتے ہیں اور یہ بھی بتایا کہ وہ سپیرا ہرگز نہیں ہے۔

''تو پھر لو اب ہو گے۔''

''نہیں!''

''تو کیا تم مہاراجہ بھی نہیں ہو؟''

''جی نہیں!''

''تو پھر سادھو تو ضرور ہو گے۔''

اس نے بتایا کہ وہ انجینئر ہے۔ نئی سڑکیں بناتا ہے' پرانی سڑکوں کی مرمت کرتا ہے۔

آغا بڑے حیران ہوئے۔ ''تو تمہارے ملک میں انجینئر بھی ہوتے ہیں؟''

''ہمارے ملک میں انجینئر ہیں' فلاسفر ہیں' ڈاکٹر ہیں' سائنس دان ہیں۔'' اس نے فخر سے کہا۔

''تو پھر تمہارے ہاں اتنے غلام کیوں ہیں؟ اپنے چالیس کروڑ غلاموں کو کیوں نہیں پڑھاتے؟'' —— اس کا جواب ذرا مشکل تھا۔

کھانے کے بعد انگیٹھی کے سامنے باتیں ہوتی رہیں۔ اس نے کن انکھیوں سے دیکھا۔ لڑکی کی مجوب نگاہیں بھٹک رہی تھیں۔

''آپ کے لیے چاء کس وقت بھیجی جائے؟'' اس نے چلتے چلتے الگ پوچھا۔

''صبح چار بجے!''

وہ نگاہیں لمحے بھر کے لیے شکایتاً اٹھیں۔

''جی میں سمجھا سہ پہر کی چاء —— صبح تو میں دیر سے اٹھتا ہوں۔''

اس قسم کی رندانہ گفتگو کی عادت اسے دیس دیس بھٹک کر پڑ گئی تھی۔

کچھ دنوں کے بعد وہ پھر چوٹی کو عبور کر رہا تھا۔ موٹر ٹھیک تھی، لیکن کُنج کے پاس پہنچ کر رک گئی۔ فلمی سین پھر دہرایا گیا۔ اس دفعہ ذرا بے تکلفی برتی گئی۔ آغا اور خانم نے اپنے بچوں سے ملایا۔ بچوں کی اتالیق سے ملایا جو دور کی رشتہ دار بھی تھی۔ یہ وہی تھی۔ آغا نے بتایا کہ اس نے پچھلے سال کالج چھوڑا ہے۔ اب کسی اور ڈگری کی فکر ہے۔ مطالعے کے سوا اور کوئی کام نہیں۔

"اُس روز جاتے ہوئے آپ نے ایک مرتبہ بھی پیچھے مڑ کر نہیں دیکھا۔" وہ بولی۔

اس فقرے سے وہ چونکا، مگر اس کا اثر دیر تک نہیں رہا۔ نہ جانے اب ایسے فقروں میں کیوں جاذبیت نہیں رہی تھی۔

لیکن یہ زائد التفات کس لیے ہے؟ اتنی زائد توجہ کیوں؟ شاید یہ جذبہ ترحم ہے جو جنسِ لطیف کے دل میں بے خانماں ہستیوں کے لیے ہوتا ہے۔ وہ جذبہ جو ان کے دل میں سپاہی کے لیے عود کر آتا ہے۔ اُس قسم کے التفات سے اسے چڑ سی ہو گئی تھی۔ آخر یہ کیوں سمجھ لیا جاتا ہے کہ سپاہی ہمیشہ اداس ہوتا ہے، مغموم ہوتا ہے۔ گھر سے دور ہے اس لیے محبت کا خواہاں ہے۔ وہ کچھ ایسا اداس بھی نہیں تھا۔ نہ اسے کسی ہمدردی کی ضرورت تھی۔

اس نے سوچا کہ وہ انہیں اپنی صحرا نوردیوں کے قصّے سنائے گا۔ وہ زلزلہ جو پہاڑوں میں آیا تھا۔ اونچی برفانی چوٹیاں پتّوں کی طرح کانپنے لگیں۔ لہراتی ہوئی مخالف سمتوں میں نکل جاتیں۔ مخمور انداز میں جھومتی ہوئی ایک دوسرے کے قریب سے گزرتیں — یوں لگتا تھا جیسے کوئی کھلونوں سے کھیل رہا ہو — پھر جب جنگل میں آگ لگی۔ اس کے خیمے کے سامنے اونچا چنار کا درخت سُلگ کر لال کوئلہ بن گیا۔ پھر ہوا تھم گئی۔ سامنے درخت کا سرخ ہیولا تھا اور پیچھے سیاہ آسمان۔ درخت کی شاخیں، ٹہنیاں جوں کی توں تھیں۔ یوں معلوم ہوتا تھا جیسے یہ سب فریبِ نظر ہو۔ دیکھتے دیکھتے ہوا کا تیز جھونکا آیا اور سب کچھ بکھر گیا — پھر جب صحراؤں میں پہلی مرتبہ حُدی خوانوں کو گاتے سنا۔ رات کے پچھلے پہر دفعتاً نغمہ بلند ہوا جو چیخ سے مشابہت رکھتا تھا۔ دل سے نکلی ہوئی چیخ سے۔ یہ پکار موسیقی کے اصولوں اور سازوں کی مدد سے بے نیاز

تھی۔ جیسے روح کائنات سے ہم کلام ہو۔ نغمے کی پرواز کے ساتھ ساتھ آسمان سے تارے سمٹتے ہوئے معلوم ہوئے' جیسے ابھی زمین کو چھونے لگیں گے۔ نغمہ مدّہم ہوا اور عجیب سا فسوں چھوڑتا ہوا دور چلا گیا۔

''تب تم تنہا تھے۔'' نگاہوں کا پیغام آیا۔

''ہاں میں تنہا تھا' اب بھی تنہا ہوں۔'' نگاہوں نے جواب دیا۔

وہ نگاہیں اٹھیں' جیسے وہ اس کی تنہائی پر ملول ہوں۔ مرد کی تنہائی جس پر ترس کھا کر عورت رفاقت کا عطیہ پیش کرتی ہے۔ جب یہ جذبہ جاگتا ہے تو آنکھوں سے جھلکتا ہے۔

''تم نے ہمیں جنگ کی باتیں نہیں سنائیں۔'' آغا بولے۔

ہاں --جنگ کے متعلق تو اس نے کچھ بھی نہیں کہا تھا۔ یہ تو ان دنوں ہر ایک کا محبوب موضوع تھا۔ وہ سوچنے لگا۔ اس کے ذہن میں ایسے دلچسپ واقعات ضرور ہونے چاہئیں جنہیں وہ تفریحاً سنا سکے' لیکن اس کے ذہن میں کچھ بھی نہیں تھا۔ واقعات تھے' لیکن ان میں تسلسل نہ تھا۔ وہ بے معنی تھے' نامکمل تھے۔ اسے یاد تھا کہ جب وہ لڑائی پر گیا تو زندہ دل خوش باش لڑکا تھا۔ ڈیڑھ دو سال کے وقفے میں معمّر ہو چکا تھا اور ایک عجیب سی کیفیت طاری تھی جس میں زندگی کی طلب تھی بھی اور نہیں بھی۔ ہر چیز اہمیت کھو چکی تھی۔ سب کچھ جو اس قدر عزیز تھا اب جیسے اس کا وجود ہی نہ رہا تھا۔ عزیز واقارب کو جو اس کی زندگی پر اس درجہ حاوی رہے وہ انہیں ذہنی طور پر پیچھے چھوڑ آیا تھا۔ اور یہ لڑائی صرف میدان جنگ ہی میں نہیں تھی' دور دراز پُر امن ماحول میں بھی انسان' انسان سے برسرِ پیکار تھا۔ بعض اوقات اس نے انسان سے شدید نفرت محسوس کی تھی۔ انسان جس کے چہرے کا نقاب کبھی کبھی اترتا ہے--- کسی مہلک بیماری میں---یا اقتدار پا کر---یا انتہائی خوف میں---تب وہ اپنے اصلی روپ میں ظاہر ہوتا ہے! انسان کو اس نے جھوٹ بولتے دیکھا تھا۔ کمزوروں پر ظلم توڑتے' دوستوں کو دھوکہ دیتے' کمینگی برتتے دیکھا تھا۔ ایسی ایسی کریہہ حرکتیں کرتے دیکھا تھا کہ اشرف المخلوقات کا خطاب محض خطاب معلوم ہونے لگتا۔ اور پھر یہ کہ انسان ہمیشہ اپنے آپ کو حق بجانب سمجھتا۔ یا پھر انسانی فطرت کی کمزوری اور بے ضبط جذبوں کی آڑ لے کر سبکدوش ہو جاتا۔

لیکن اسے افسوس نہیں تھا کہ یہ سب کچھ کیوں دیکھ لیا۔ تخلیق کے پہلے دن سے جنگ جاری ہے۔ قدرت کا یہ قانون کہ انتخاب طبعی میں وہی زندہ رہے جو دوسروں کو ہرا سکے۔ پہلے پانیوں کی متحرک چیزیں آپس میں لڑتی رہیں۔ جب حشرات بن کر زمین پر رینگنے لگیں تو لڑائی جاری رہی۔ چوپایوں کی حکومت پر انسان نے لڑ کر فتح پائی۔ انسان سے پہلے جو کچھ ہوا ارتقاء کے سلسلے میں ہوا۔ ارتقاء کی معراج پر فوق الانسان بننے کی خواہش میں انسان انسان سے پھر نبرد آزما ہو گیا۔

اگر اس ابدی تگ ودو کی ذرا سی جھلک اس نے دیکھ لی تو بُرا نہیں ہوا۔

"میں نے تمہارا نام رکھا ہے۔"

نمناک سی آنکھیں۔ ملگجا سا لباس گلے میں منکوں کا ہار جیسے اوس کے موتی پرو لیے ہوں۔ آویزے جن میں اوس کی بوندیں لرزاں تھیں۔

"کیا؟"

"شبنم!"

"میرا نام تو کچھ اور ہے۔"

"مجھے معلوم ہے۔"

"شام کو میں تمہیں وہ خطہ دکھاؤں گی جہاں سورج چلا جاتا ہے۔"

"لیکن مجھے جلد واپس لوٹنا ہے۔"

پھر بھی شام کو وہ دونوں ساتھ گئے۔ بلندی سے پانی گرنے کی صدا سنائی دی۔ پھر آبشار دُور سے نظر آنے لگی۔ پانی کا ریلا کئی دھاروں میں تقسیم ہو جاتا جو پتھروں سے ٹکراتی شور مچاتی نکل جاتیں۔ دُور دُور تک پھیلی ہوئی پھوار میں شعاعوں نے طرح طرح کے رنگ بنائے تھے۔

ندیوں کے درمیان ایک خوشنما خطّہ تھا۔ جدھر نگاہ جاتی پھولوں کے تختے' رنگین بیل بوٹے' رنگ برنگی گھاس کے قطعے' گلکاری ہی گلکاری نظر آتی۔ جھیل کی شفاف سطح پر کنول کے پھول' رنگ بدلتی ہوئی بدلیوں اور اڑتے ہوئے طیور کے عکس تھرک رہے تھے۔

"یہ ندیاں' نالے' جھیل ان سب کا منبع وہ آبشار ہے۔ غروبِ آفتاب کو محض اس آبشار نے دلکشی بخشی ہے۔" وہ بولی۔

سورج بادلوں میں گیا تو پگھلے ہوئے سونے کا لاوا بہنے لگا۔ پھر آسمان سے جیسے شعلے برسنے لگے۔ کنول کے پھول سرخ ہوئے۔ جھیل میں آگ سی لگ گئی۔ رنگ مدھم ہوئے اور ایک ہلکی ہلکی دمک نے زمین و آسمان کو آغوش میں لے لیا۔ پھر جھیل تاروں کے عکس سے روشن ہو گئی۔

آغا پینے پلانے کے بڑے دالدہ تھے۔ چوری چھپے پیتے' شام کو خانم خود پلاتیں۔ راشن سے وہ اپنے حصّے کی وہسکی آغا کے لیے لے جاتا جسے شکریے کے ساتھ قبول کیا جاتا کیونکہ وہاں اچھی وہسکی نایاب تھی۔

اس نے خانم سے پوچھا کہ وہ خود کیوں پلاتی ہیں؟ ہمارے ملک میں بیوی کو ذرا سا شبہ ہو جائے تو خون خرابے ہو جاتے ہیں۔ انہوں نے بتایا کہ آغا کسی زمانے میں بڑے رنگیلے تھے۔ مشکلوں سے انہیں سیدھا کیا ہے۔ اب وہ خانم کے اشاروں پر ناچتے ہیں۔ خانم ہر صبح آغا سے پہلے اٹھ کر بناؤ سنگھار کرتیں۔ زلفوں میں پھول لگا کر' لبوں پر مسکراہٹ لیے' خود ان کے لیے چاء لے جاتیں۔ ہنس کر باتیں کرتیں۔ ایک آدھ تعریفی جملہ یا موزوں شعر کہنے سے بھی نہ چُوکتیں۔ بیس سال سے آغا نے صبح صبح خانم کی اصلی شکل نہیں دیکھی تھی۔ ہمیشہ مسکراتا ہوا حسین چہرہ سامنے آتا جس پر وہ کبھی فریفتہ تھے——اور اب بھی ہیں۔

"فطرتاً آغا سُست الوجود ہیں۔ شام کو ذرا سی مل جائے تو چستی آجاتی ہے۔ خوب باتیں کرتے ہیں۔ بچوں سے کھیلتے ہیں' سب کو باہر لے جاتے ہیں۔ شام کو ذرا سی چُسکی نے انہیں کئی جگہ ہر دلعزیز بنا رکھا ہے۔" خانم بتاتیں۔

شبنم بھی باتوں میں شریک ہوتی۔ موقع ملتا تو وہ لمبی سیریں کرتے۔ ایک دوسرے کو کتابیں پڑھ کر سناتے' مباحثے کرتے۔ اس نے کبھی غور سے شبنم کے چہرے کو نہیں دیکھا کہ اس کی آنکھیں کیسی ہیں' ہونٹوں کی ساخت کیا ہے' پیشانی کے تل کے علاوہ چہرے پر کوئی اور بھی تل ہے۔ وہ حسین نہیں تھی' لیکن اس کی رفاقت بے حد

حسین تھی۔ وہ باتیں کرتی تو یوں معلوم ہوتا جیسے آہستہ آہستہ اس کا چہرہ حسین ہوتا جا رہا ہے۔ آس پاس کی ہر شے میں اس حسن کی آمیزش ہو جاتی۔

اور ان باتوں میں اجنبیت نہیں تھی۔ بالکل ایسی ہی باتیں اس نے اپنے ملک میں سُنی تھیں۔

''ان پُھولوں کو گلدان میں سجاؤں گی۔''

''میں تو انہیں تمہاری زلفوں کی آرائش کے لیے لایا تھا۔''

''یوں بال مت کھینچو' پھول اس طرح نہیں ٹانکے جاتے۔ اچھّا ہوا کانٹا چبھ گیا' دیکھوں—''

''ایک بار انگلی دانتوں میں پھر دبانا' صرف ایک بار۔''

''اس دفعہ زور سے کاٹ لوں گی۔ توبہ ہاتھ کیسے کھردرے ہیں' سر کے بالوں کی طرح۔ ذرا لمبے بال رکھ لو' کوئی حرج ہے۔''

''انگلی سے اب تک خون نکل رہا ہے۔''

''نکلا کرے— رومال نہیں تو ٹائی سے مت پونچھو۔ یہ لو رومال۔''

''نہیں لیتے۔''

''تو مت لو۔ دستانے کہاں گئے؟ ٹھنڈی ہوا لگے گی۔ لو یہ مفلر گلے میں لپیٹ لو۔ تنہا رہ کر عجیب اکھڑّ اسے ہو گئے ہو' نہ شکریہ نہ کچھ۔ کل آ گئے تو اچھا ورنہ انتظار رہے گا۔ جاتے ہی انگیٹھی میں آگ جلوا لینا اور سو جانا۔

کبھی باغ میں اکیلی بیٹھی ہے۔ پھول کی پتیاں ایک ایک کر کے نوچی جا رہی ہیں— زیرِ لب کچھ دوہرایا جا رہا ہے— محبت ہے— محبت نہیں— محبت ہے— محبت نہیں— آخری پتی پر چہرہ کھِل پڑا یا افسردگی کی لہر دوڑ گئی۔ پھر دوسرا پھول چُن لیا۔''

باتیں کرتے کرتے کسی بچّے کے رخسار پر رخسار رکھ دیا لیکن نگاہیں کہیں اور ہیں۔ اوائلِ محبت کے وہ سہمے ہوئے پیغام۔ لب بچوں کے لبوں کو چوم رہے ہیں' لیکن نظریں نظروں سے ملی ہوئی ہیں۔

اور پھر اس رفاقت میں سمجھ بوجھ کو کس قدر دخل تھا۔ کیفیتِ مزاج کو فوراً

پہچان جانا۔ جان لینا اب کس قسم کی گفتگو موزوں ہو گی۔ اب خاموشی بہتر ہے۔ دونوں پاس پاس بیٹھے ہیں' کتابیں کھلی ہوئی ہیں۔ گھنٹے گزر جاتے ایک صفحہ نہ الٹتا۔ خیالات کہیں ہیں۔ ہونٹوں پر خاموشی ہے' لیکن احساسِ رفاقت جوں کا توں ہے۔

سردی بڑھتی گئی۔ پہلی برفباری ہوئی۔ چوٹی کو طے کرتے ہوئے اس نے دیکھا کہ ساری وادی سفید ہو چکی ہے۔ بل کھاتے ہوئے راستے' پگڈنڈیاں' سب برف میں چھپ گئے۔ چوٹی سے وہ کُنج نہایت قریب معلوم ہوا۔ پیچیدہ راستوں نے اسے دور کر رکھا تھا۔ کیوں نہ آج وہ نیا راستہ بنا کر جائے؟ لیکن پھر سوچا کی پرانی سڑک ہی بہتر رہے گی۔ بنے ہوئے راستوں کو کوئی نہیں چھوڑتا۔ انہیں پہلے کسی نے اپنی آسانی اور ذاتی مفاد کے لیے بنایا ہو گا۔ لیکن وقت گزرتا رہتا ہے' راستے نہیں بدلتے۔

آبشار کی دھیمی دھیمی صدا آنے لگی۔ اس آواز سے کچھ اُنس سا ہو چلا تھا۔ یہ آواز آتی اور تنہائی کا احساس جاتا رہتا۔ جیسے کوئی دوست آملا ہو۔

سورج بادلوں میں چلا گیا۔ شفق کے رنگ فضاؤں میں پھیل گئے۔ جھیل کی سطح اور برف کی اجلی چادر رنگین ہو گئی۔ برفباری اس کے لیے نئی چیز تھی۔ برف کو دیکھ کر اسے یاد آجاتا کہ وہ اجنبی ملک میں ہے برف اسے اداس کر دیتی۔

جب شبنم اور وہ انگیٹھی کے سامنے بیٹھے باتیں کر رہے تھے تو وہ بے حد غمگین تھا۔ شبنم نے وجہ پوچھی — نہیں' اس قنوطیت کی وجہ جنگ نہیں تھی۔ امن بھی تھا۔ جنگ سے بہت دور بھی اس نے بہت کچھ دیکھا تھا۔ کبھی کبھی اس کے سامنے خوفزدہ غمگین چہروں کی قطار آجاتی۔ یہ چہرے اسے نہ چھوڑتے۔ ایک چہرہ جس نے سالہا سال تک مخلوق کو نیکی اور دیانتداری کا سبق پڑھایا۔ پھر لاری کے حادثے میں اس کا بازو کٹ گیا۔ مدتوں وہ اپنے بازو کو نہ بھولا۔ اسے جسم کا جیتا حصہ محسوس کرتا رہا — کبھی انگلیوں میں جلن ہوتی' انگلیاں جو بازو کے ساتھ جسم سے جدا ہو چکی تھیں — کبھی کلائی سے ٹیسیں اٹھتیں۔ وہ اشاروں سے بتایا کرتا کہ یہاں درد ہو رہا ہے۔ بازو کا بھوت مدتوں اس کے ساتھ رہا۔ پھر ایک غیر ملکی چہرہ اور اس کی بھیانک آنکھیں جو نہایت ہیبت ناک نظارہ دیکھ چکی تھیں۔ اس کی بیوی وبا کا شکار ہو گئی۔ لاش کا پوسٹ مارٹم شروع

ہوا۔ دفعتاً اس شخص نے دیکھا کہ لاش کا دل دھڑک رہا ہے—— بیوی مری نہیں تھی۔ پھر ایک معمر چہرہ' ایک عمر رسیدہ ماں کا! جس کا جوان بیٹا حادثے میں مارا گیا۔ کمپنی نے معاوضے کے طور پر رقم بھیجی۔ بیٹے کا یہ نعم البدل دیکھ کر ماں کے چہرے پر کیا بیتی۔ ان آنکھوں کے سامنے کیا کیا آیا اور چلا گیا۔ شدید احساسات نے چہرے پر کیسے کیسے نقوش ابھارے۔ اور بھی ایسے ایسے کتنے ہی چہرے اس کے سامنے آجاتے جنہیں وہ کوشش کے باوجود نہ بھلا سکتا۔

شبنم کا خیال تھا کہ جس دور سے وہ گزر رہا تھا اس سے کبھی نہ کبھی ہر کوئی گزرتا ہے سوائے ان لوگوں کے جو جذبات و تاثرات سے عاری ہیں۔

لیکن غم کہاں نہیں ہے؟ غم کی تلاش کتنی آسان ہے۔ اس کونے کے پیچھے' اس کنگڑ پر' ان ہیولوں میں—— یہ سامنے غم ہی کا سایہ ہے۔ یہ غم کے قدموں ہی کی تو چاپ ہے جو چپکے چپکے تعاقب کر رہا ہے۔ یہ غم ہے جو ساتھ ساتھ چل رہا ہے۔

آسمان تلے جتنے جاندار سانس لیتے ہیں ان میں سب سے زیادہ غمگین انسان ہے جو طرح طرح سے اپنے آپ کو ایذا پہنچاتا ہے۔ کائنات میں صرف انسان ہی ہے جو خودکشی پر آمادہ ہو جاتا ہے۔ ورنہ یہ چہچہاتے ہوئے پرندے' کلیلیں کرتے ہوئے چرند' لہلہاتے ہوئے پھول' اپنی مختصر سی زندگی میں کچھ اتنے ناخوش نہیں۔ انسان کو اعتقاد کی ضرورت ہے۔ یہ اعتقاد خواہ مذہب سے ملے۔ انسانیت سے یا رفاقت سے' لیکن محکم ہو۔ ایسا جیسے مریض کو طبیب پر ہوتا ہے۔ افیم کے عادی مریضوں کو جب طبیب سادے پانی کا ٹیکہ لگاتا ہے تو وہ بچوں کی طرح سو جاتے ہیں۔ غم کی شدت اعتقاد کی دشمن ہے۔ وہ خود ترسی کی عادت ڈال دیتی ہے۔ اپنے آپ کو مظلوم سمجھنا' اپنے آپ پر ترس کھاتے رہنا نہایت مہلک ہے۔ اس سے ساری صلاحیتیں تباہ ہو جاتی ہیں۔

وہ سوچنے لگا شاید اس لڑکی کو حزن سے واسطہ نہیں پڑا۔ یا شاید اسے اپنا حصہ مل چکا ہے۔ یہ جھکی جھکی نگاہیں غم آشنا معلوم ہوتی ہیں۔ اس سے پوچھوں؟—— لیکن غم اور مسرت دونوں جذبے ذاتی ہیں۔ ہر شخص مختلف چیزوں میں خوشی ڈھونڈتا ہے۔ اپنا اپنا ظرف ہے۔ جیسے جنّت و جہنّم کا تخیل—— ایک بچے کے لیے بہشت کا تخیل کچھ ہو گا اور ایک بوڑھے کے لیے کچھ۔ دہقان کا نظریۂ جہنم فلسفی کے نظریے سے مختلف ہو

گا۔ اور پھر دل کی گہرائیوں تک کون پہنچ سکتا ہے۔ مکمل قبضہ ہو جانے پر بھی زندگی کا ایک حصہ ایسا رہ جاتا ہے جس میں کسی کو دخل نہیں ہوتا' وہاں کوئی قدم نہیں رکھ سکتا۔

اس لڑکی کے نظریے مجھے مطمئن تو نہیں کرتے' لیکن اس سے تشفی ضرور ہوتی ہے۔ اور یہ تشفی اس سکون کا پیش خیمہ تھی جو آہستہ آہستہ ابھرتا چلا آیا۔

زندہ رہنے کا ذوق و شوق نئے سرے سے عود کر آیا۔ اس نے کتابوں کی گرد جھاڑی' مطالعہ شروع کیا۔ پرانے مشغلے پھر اچھے معلوم ہونے لگے۔ آس پاس کی چیزوں میں دلچسپی ہو گئی۔ تقریبوں میں حصہ لینے لگا۔ انجینئروں کی کانفرنس میں اس کے ایک مضمون کو سراہا گیا۔ پھر جیسے ایک نئی زندگی شروع ہوئی۔

ڈیوٹی سے واپسی پر وہ ہوٹل میں اکیلا بیٹھا چاء پی رہا تھا کہ ایک لاری رکی اور لڑکیاں اتریں۔ یہ شہر سے آئی تھیں۔ ایک لڑکی اندر آئی۔ جائزہ لیا اور غور سے اسے دیکھتی ہوئی بڑے کمرے سے گزری۔ دوسری نے جاتے جاتے دزدیدہ نگاہوں سے دیکھا۔ تیسری نے اس کے پاس پہنچ کر بٹوہ گرا دیا۔ چوتھی کے عکس سے سامنے لگے ہوئے بڑے آئینے میں آمنا سامنا ہوا۔ پھر ایک لڑکی آئی۔ کچھ دیر دروازے میں کھڑی رہی' پھر متکبرانہ انداز سے داخل ہوئی۔ اس نے جھلک سی دیکھی۔ ایک حسین اور تندرست شبیہہ پاس سے گزری' لیکن اس کی میز کی طرف بالکل نہیں دیکھا۔ چاء کے بعد چلتے وقت سب لڑکیوں نے اسے دوبارہ دیکھا' ایک دو مُڑ مُڑ کر بھی دیکھتی گئیں۔ پھر وہ جانے لگی' اس کی میز کو چھوتی ہوئی اس طرح گزر گئی جیسے ہال خالی ہے اور وہاں کوئی تھا ہی نہیں۔

یہ کون تھی؟ اس سے رہا نہ گیا۔ ہوٹل کے مالک سے دریافت کیا۔ اس نے بتایا کہ کبھی کبھی ذرا سی دیر کے لیے وہ اسی طرح آیا کرتی ہے۔ تفصیل وہ کسی سے پوچھ کر بتائے گا۔

جیپ میں بیٹھتے وقت اس نے دیکھا کہ لاری ابھی کھڑی ہے۔ سب لڑکیاں جھانک جھانک کر دیکھ رہی ہیں سوائے اس کے۔ حسین چہرے پر عجیب بے اعتنائی ہے اور نگاہیں کہیں دور جمی ہیں۔

یہ واقعہ کئی دنوں اسے یاد رہا۔ اس جاذبِ نظر شبیہہ اور اس کی دانستہ بے رخی کو نہ بھلا سکا۔ وہ خیمے میں تھا کہ کسی نے بتایا۔ کوئی ملنے آیا ہے۔ اتنی دور کیمپ میں کون آیا ہو گا؟ پردہ اٹھا' سامنے وہی لڑکی کھڑی تھی۔

''آپ مجھ سے ملنا چاہتے تھے؟''

وہ ہکّا بکّا رہ گیا۔

''میں آگئی ہوں' فرمایئے مجھ سے کیا گفتگو کرنا چاہتے تھے؟''

اس نے کچھ نہ کہا۔

''آپ خاموش ہیں؟''

وہ ایسا گھبرایا کہ اسے بیٹھنے کے لیے بھی نہ کہا۔

''آپ نے میرے متعلق دریافت فرمایا تھا' میں حاضر ہوں۔ پوچھیے — میں اپنا نام بتاؤں — اپنا پتہ — یا اپنا ٹیلیفون نمبر۔''

وہ یونہی دیکھتا رہا اور وہ چلی گئی۔

قریب کے شہر میں طرح طرح کی تقریبیں ہوتیں۔ ملک ملک کے لوگ شرکت کرتے۔ انہیں پہچاننا بہت آسان ہوتا۔ روسی فربہ' پستہ قد اور بلانوش ہوتے۔ ان کی آنکھوں سے غم جھلکتا۔ مسرور محفلوں میں بھی وہ آزردہ اور رُوٹھے رُوٹھے سے رہتے۔ انگریزوں کی لباس اور آداب کی پابندی' ہمیشہ کا تصنع اور بالکل الگ تھلگ رہنا۔ امریکی ہر ایک سے گھل مِل جاتے۔ شوخ' چنچل' شریر' ان کا رواں رواں پھڑکتا۔ ان کی زندگی سے بھرپور حرکتوں سے بعض اوقات غلط فہمی ہونے لگتی کہ وہ بداخلاق ہیں۔ ایرانیوں کی سب سے بڑی پہچان فرانسیسی تہذیب کی تقلید تھی۔ آغا موسیو کہلانا پسند کرتے اور خانم لفظِ مادام سن کر جھوم اُٹھتیں۔ مقامی لڑکیوں کے لیے ہر غیر ملکی میں کشش تھی۔ یہاں تک کہ اس کے ہم ملک ان پڑھ سپاہی ان کو لیے لیے پھرتے اور اگلے مہینے اپنے سادے دیہاتی ناموں کی جگہ جدید قسم کے رومانی نام چن کر نام بدلوانے کی درخواستیں دے دیتے۔

ایسی ہی ایک تقریب میں آغا اور خانم اسے لے گئے۔ شوروغل سے اُکتا کر وہ

کونے میں اخبار پڑھ رہا تھا کہ سامنے سے کوئی گزرا۔ اس نے نہیں دیکھا۔ پھر کوئی گزرا۔ یہ وہی تھی! وہ بڑے انہماک سے اخبار پڑھنے لگا۔ نہ جانے کیوں وہ اس کے متعلق اور زیادہ نہیں سوچنا چاہتا تھا۔ وہ پھر سے گزری۔ آخر اس نے اخبار رکھ دیا۔ بڑی روکھی پھیکی سی ملاقات ہوئی۔

"یہ کون سا اخبار ہے؟"

اس نے اخبار سامنے رکھ دیا۔

"وہ کون سی خبر تھی جو اس قدر دلچسپ معلوم ہو رہی تھی؟"

اس نے ایک خبر پر انگلی رکھ دی۔

"تم اس روز بھی خاموش تھے۔ شاید تمہیں تعجب ہوا کہ میں نے ہوٹل میں تمہاری طرف دیکھا کیوں نہیں۔ حقیقت یہ ہے کہ ان ساری لڑکیوں میں سے اگر کسی نے تمہیں اچھی طرح دیکھا تھا تو فقط میں نے۔"

وہ بدستور خاموش رہا۔

"اچھا میں تمہیں اپنا نام بتاؤں۔ مجھے شگوفہ کہتے ہیں۔ بتاؤں میں کہاں رہتی ہوں۔ پہاڑی سے اترتے وقت جہاں سڑک دو شاخوں میں بٹتی ہے۔ شاید تم نے غور سے نہیں دیکھا۔ بائیں سڑک ہمارے گھر کی طرف جاتی ہے۔ میرے ابّا تاجر ہیں۔ میں کبھی کبھی کالج میں پڑھتی ہوں۔ ہوٹل والے سے تم یہی پوچھنا چاہتے تھے نا؟ تم اب بھی چپ ہو۔ ہم موضوع بدل دیں۔ مجھے سپاہیوں کی زندگی پر بڑا رشک آتا ہے۔ ہر روز نئی نئی جگہیں' نئے نئے چہرے' نت نئے تجربے' جس محفل میں ہوں' دلچسپ ہو جاتی ہے— اور تم ہو کہ—"

وہ دور جا چکی تو اس نے دیکھا اس کا لباس سرخ تھا' ہونٹ سرخ تھے' رخسار سرخ تھے' بال سرخ تھے۔ وہ شگوفہ نہیں شعلہ معلوم ہو رہی تھی۔ دراز موزوں قد' تندرست لچکدار جسم' چست لباس' عشرت خیز نگاہیں' سب دعوتِ نظارہ دے رہے تھے۔ اس دہکتے ہوئے شعلے میں بلا کی جاذبیت تھی۔ نِری مادی کشش تھی۔

کھیل شروع ہوئے تو وہ دور تھی۔ ایسی اُکھڑی اُکھڑی گفتگو کے باوجود وہ اس

کی طرف کھنچا جا رہا تھا۔ بارہا وہ دوسرے کمرے میں گیا۔ تاش کھیلی' کتابیں پڑھیں' لیکن پھر کوئی چیز اسے واپس لے آئی۔ نئے کھیل کے لیے ساتھیوں کا انتخاب ہونے لگا۔ اس نے جیسے بالکل بے بس ہو کر ایک معمّر خاتون کی مدد چاہی جو کاغذ کے پرزے تقسیم کر رہی تھیں۔ کھیل میں دو ساتھی شعر پڑھتے اور پھر چہرے کے اظہار' ہاتھوں کی جنبش سے شعر کے معنوں کی ترجمانی کرتے۔

معمّر خاتون کی مدد سے وہ ساتھی بن گئے۔ اس نے ایسی رباعی پڑھی جس میں وہ اس کے بازوؤں میں آتے آتے رہ گئی۔ کھیلوں کے بعد ہارنے والوں کے لیے سزائیں تجویز ہوئیں۔ انہیں دُور جا کر ستارے تکنے کو کہا گیا۔

دونوں باہر نکلے۔ آسمان پر بادل چھائے ہوئے تھے چاروں طرف تاریکی تھی۔

"تارہ تو ایک بھی نہیں ہے۔" وہ بولی۔

"تو انتظار کریں گے —— وہاں ——!"

ہاتھ تھامنا چاہا۔ چھڑانے کی کوشش رائیگاں گئی۔ گرفت تیز ہو گئی۔ بازو بڑھے۔

"میں نے تمہارا نام شعلہ رکھا ہے۔"

"میرے چہرے کی سرخی اتر آئے گی' وہ سب کیا کہیں گے۔"

"میں تمہارے چہرے کو نہیں چھوؤں گا۔"

"لیکن۔"

"نہیں!"

وہ تڑپ کر نکل گئی' تعاقب بے سود رہا۔ پھر موقع نہ مل سکا۔ تشنگی بڑھتی گئی۔ رات گئے آغا اور خانم لوٹے تو اس نے فرمائش کی کہ سیدھا واپس جانے کی بجائے ان کے گھر قہوہ پی کر کیمپ جائے گا۔ وہ شبنم سے ملنا چاہتا تھا۔ اسے منتظر پا کر بڑی تسکین پہنچی۔

"مجھے امید تھی کہ تم ضرور آؤ گے۔"

ہونٹوں پر معصوم سا تبسّم اور نگاہوں میں اعتماد۔ ضروری کتر بیونت کے بعد

اس نے تقریب کی پوری کارروائی سنائی۔

"تمہیں مسرور دیکھ کر مجھے اتنی خوشی ہوتی ہے کہ بس۔ مَیں وہاں ہوتی تو تمہیں اس قدر مقبول دیکھ کر فخر کرتی۔"

اگلے روز آنے کا وعدہ کر کے وہ روانہ ہوا۔ آج رات سب کچھ عجیب سا معلوم ہو رہا تھا۔ ابر آلودہ آسمان کی موہوم سی روشنی اور موہوم سائے۔ پہاڑوں کے ہیولے طرح طرح کی خوشبوئیں، کہیں دور آبشار کی صدا — سب کچھ بدلا بدلا ہوا سا تھا۔ سب سے زیادہ تبدیلی تو وہ اپنے اندر محسوس کر رہا تھا۔ شاید اس لیے کہ رات تھی اور رات ہر شے کو بدل دیتی ہے۔ برفباری کی ویران رات ہو یا مہکی ہوئی سانس لیتی چاندنی رات۔ برسات کی رم جُھم رات — یا آندھیوں کی غم ناک رات۔ ساری راتیں پُر فسوں ہوتی ہیں — تب یہی دیکھی بھالی چیزیں ایسی ایسی شکلیں اختیار کر لیتی ہیں کہ پہچانی نہیں جاتیں۔

اگلے دن کا وعدہ تھا، وہ نہیں گیا۔ اس سے اگلے دن بھی نہیں گیا۔ ہفتہ گزر گیا پھر آغا کنبے سمت اسے لینے آئے۔ وہ پہاڑ کی دوسری طرف مشہور غاروں کو دیکھنے جا رہے تھے۔ چوٹی عبور کر کے ڈھلان آیا تو آغا سڑک چھوڑ کر بائیں طرف مڑ گئے — تو یہ تھا وہ دوراہا جہاں سے دوسری سڑک نکلتی تھی! آغا نے بتایا کہ وہ اپنے ایک دوست کو بھی ساتھ لیں گے۔ وہ دوست شعلہ کے ابا نکلے۔ وہ بھی آئی۔ نہ جانے اس کے لباس چھوٹے ہو چکے تھے یا وہ جان بوجھ کر تنگ کپڑے پہنتی تھی۔ آج بھی ایسا ہی لباس تھا، کار میں ساتھ آ بیٹھی، کندھے چھوئے تو وہی لباس جچنے لگا۔ ان غاروں کی دیواروں میں کسی چمکیلی چیز کی آمیزش تھی۔ ایک دیا سلائی جلانے سے اتنی چمک ہوتی کہ آنکھیں چکا چوند ہو جاتیں۔ چٹانوں میں بڑی زور کی گونج بھی پیدا ہوتی۔ ایک آواز کی کئی کئی آوازیں بن جاتیں۔ ایک گوشے میں کسی کے قرب کی تمازت محسوس کی۔ دیا سلائی جلائی اور دل دھڑکنے لگا۔ وہ اور شعلہ ایک ہی غار میں تھے۔ سرخ ہونٹ، سرخ رخسار اور سرخ بال ایک لمحے کے لیے چمکے اور اندھیرا ہو گیا۔ قدموں کی چاپ سنائی دی — کوئی آ رہا تھا۔ وہ لوٹ گیا۔ دوسرے غار میں اس کا ہاتھ برف جیسے سرد ہاتھ سے چُھوا۔

شبنم کا ہاتھ ۔ جسے اس نے تھام لیا۔

اسے خیال آیا کہ اتنے دنوں کی دوستی میں کبھی شبنم کو بازوؤں میں نہیں لیا۔ اسے چُوما تک نہیں۔ اس نے ہاتھ دبایا، کوئی جواب نہ ملا۔ پھر ہلکی سی گرفت محسوس ہوئی۔ یہ رفاقت کی گرفت تھی، اس میں ہیجان نام تک کو نہ تھا۔

پھر آہٹ ہوئی۔ ہاتھ چھوڑ کر وہ دوسری طرف چلا گیا۔ تاریکی میں سگریٹ سلگائی، سب کچھ جگمگا اٹھا۔ سامنے شعلہ تھی۔ خوداعتمادی جیسے بے باکی میں بدل گئی۔ سوچا کہ مدّتوں سے وہ محبت سے محروم ہے۔ کتنی مرتبہ اسے پیاسا لوٹایا گیا۔ ہونٹوں کے لمس کو تو وہ بھول ہی چکا ہے۔ آگے بڑھ کر اس نے سرخ شبیہہ کو بازوؤں میں لے لیا۔ نکلنے کی کوشش کی گئی، لیکن بازو مضبوط تھے اور چاروں طرف اندھیرا تھا اور ساتھی کہیں دور تھے۔ وہ اس کے بازوؤں میں موم بن کر رہ گئی۔ پھر یہ موم خود اپنی حرارت سے پگھل گیا۔ سگریٹ کی ہلکی سی روشنی میں کبھی کبھی انگارے سے رخسار، جلتی ہوئی آنکھیں اور تمتماتی ہوئی پیشانی نظر آجاتی۔

اگلے روز وہ خود بخود بائیں طرف مڑ گیا۔ شعلہ کے ابّا دورے پر چلے گئے تھے۔ امّی باہر تھیں۔ وہ وہیں تھی۔ معطّر چُست لباس، چنچل آنکھیں، تاباں دبیز رخسار جن پر کئی مصنوعی تل بنے ہوئے تھے۔ مسکراہٹوں سے استقبال ہوا۔ وہ سگریٹ ہونٹوں میں لے کر ماچس کا انتظار کرنے لگی۔ اس نے چھین کر اپنے لبوں میں دبا کر سگریٹ سلگائی۔ جہاں سرخی کا نشان تھا۔ ہونٹوں نے اسے چھوا تو عجیب سا احساس ہوا۔

وہ سوچنے لگا کہ حسن نسوانی رفاقت کی جان ہے۔ اگر حسن نہ ہو تو پھر کچھ بھی نہیں رہ جاتا۔ مناسب آداب کون نہیں سیکھ سکتا۔ ذرا سی کوشش سے اچھی باتیں کرنی آجاتی ہیں۔ لیکن دلآویزی کا تحفہ کسی کسی کو ملتا ہے۔ شبنم کتنی سرد اور خاموش ہے۔ اس کے خدوخال پھیکے پھیکے سے ہیں — اور ادھر اس کی دید میں کتنا خمار ہے۔ اچھا کیا کہ صبح کو وہ بائیں طرف مڑ آیا۔

"مجھے تمہاری باتیں پسند ہیں۔"

"باتیں تو ہم نے کبھی کی ہی نہیں۔" شعلہ اٹھلا کر بولی۔

"تمہیں اور جاننا چاہتا ہوں۔"

"مجھے زیادہ بے تکلفی پسند نہیں۔ ایک دوسرے کو زیادہ جاننے سے بعد میں نفرت ہو جاتی ہے۔"

"اچھا‘ آج میں کچھ نہیں کہوں گا۔ پھر کبھی سہی۔"

"پھر کا مجھے علم نہیں۔ تب خدا جانے کیسا موڈ ہو۔"

"ہم کسی روز رقص کے لیے چلیں گے۔"

"ہاں مجھے رقص کا شوق ہے‘ میں زندگی دیکھنا چاہتی ہوں‘ لیکن زیادہ دیر ساتھ نہیں دے سکتی۔"

کچھ دیر خاموشی رہی۔

"جانا چاہتے ہو۔"

"میری باتوں سے اکتا گئی ہو تو چلا جاؤں۔"

"پسند نہ ہوتے تو میں تم سے کبھی ملتی ہی نہ — لیکن یہ بتاؤ کہ تم دوستی کیا اسی طرح شروع کیا کرتے ہو۔ کیا آغاز یوں ہی ہوا کرتا ہے؟ بتاتے چلو۔ مجھے شرمانا چاہیے یا مشکور ہونا چاہیے۔ لو میری نگاہیں جھکتی جا رہی ہیں۔"

وہ مسکرانے لگا۔

"میں معذرت چاہتی ہوں۔ کہیں جا رہی ہوں۔ کوئی لینے آتا ہو گا۔"

"کون ہے؟ کیسا ہے؟"

"بالکل معمولی‘ عامیانہ سا‘ لیکن اس کی کار نہایت عمدہ ہے۔ اس چھکڑے کی جگہ اگر تم اچھی سی کار لائے تو تمہارے ساتھ چلوں گی۔"

وہ اچھی سی کار مانگ کر لے گیا۔ شعلہ کے والدین کو رقص پر چلنے کی دعوت دی‘ وہ مان گئے۔ شہر وہاں سے قریب تھا۔ جنہیں باغ پسند تھے انہوں نے شہر سے ذرا ہٹ کر کوٹھیاں بنوائی تھیں۔ آغا کا مکان بھی شہر کے مضافات میں تھا۔

جب بزرگ ادھر ادھر ہوئے تو اس نے شعلہ کو رقص کے لیے کہا۔

"مجھے پرانا والز نہیں آتا۔ پچھلی مرتبہ بھی کئیوں نے مذاق اڑایا تھا۔ تم مجھے

سکھادو گے؟"

"سکھادوں گا۔ لیکن مذاق کس نے اڑایا تھا؟"

"اس نے — جو اَب بھی فقرے کس رہاہے۔"

یہ فقرے ملکی اور غیر ملکی ہونے سے متعلق تھے۔ جب اس شخص نے قریب آکر چھیڑا تو اس سے ضبط نہ ہو سکا۔

"ذرا باہر تشریف لے چلئے گا۔" اس نے اس کا بازو پکڑ لیا۔

"بسر و چشم!" وہ معنی خیز مسکراہٹ کے ساتھ بولا۔ دونوں ایک تنہا گوشے میں چلے گئے۔

فیصلہ ہونے میں دیر نہیں لگی۔ جب وہ اندر آیا تو شعلہ اس کے بازو سے چمٹ گئی۔ "تم نے اسے گستاخیوں کی بالکل صحیح سزا دی۔ تم کتنے اچھے ہو! یہ وہی تھا جو مجھے عمدہ کار میں لے آیا تھا۔ اچھا بتاؤ میں کیسی معلوم ہو رہی ہوں؟"

"مجھے ذرا دور سے دیکھنے دو۔ کچھ ٹھہر کے بتاؤں گا۔"

"نہیں یُوں نہیں۔ ابھی بتاؤ اسی وقت۔"

"تمہارا غازہ' لبوں کی سرخی' ناخن پالش تینوں جیسی میک اَپ کے ہیں۔"

"نسوانی آرائش کے ماہر معلوم ہوتے ہو۔ کیسے پہچانا؟"

"تمہارے بالوں کو دیکھ کر۔"

"بنانے لگے۔ ستائش کی بھی حد ہوتی ہے۔"

"تم میں اتنی تمازت ہے کہ آنچ آ رہی ہے۔ جتنی لڑکیاں یہاں ہیں تم ان سب سے لمبی ہو۔ اتنی کہ تمہاری پیشانی میرے لبوں تک آتی ہے۔ اتنی حسین تم کبھی نہیں دکھائی دیں۔"

"یہ فقرے تم نے کتنی مرتبہ دہرائے ہوں گے۔ میں بھی اگر لڑکا ہوتی تو ہر لڑکی سے فلرٹ کرتی۔ یہ بتاؤ غار والی ملاقات سے پہلے تمہارے ہونٹ سرخی سے کب آلود ہوئے تھے؟"

"آج ہوں گے۔"

رقص ختم ہو گیا تھا۔

"اچھا بھلا تمہیں مجھ میں کیا پسند ہے۔"

"جس شان سے تم اندر آئے تھے۔ کوئی اور بھی ہے جو ٹوپی کو اس انداز سے اتارے؟ سر کو یوں خم دے کر۔"

"اور مجھ میں ناپسند کیا ہے؟"

"تم!"

جہاں وہ بیٹھتے مردوں کا تانتا بندھ جاتا۔ آتے' شعلہ سے باتیں کرتے' چلے جاتے۔ اس نے شکایت کی۔ وہ بولی "مجھے یہاں سب جانتے ہیں۔ میں محض تمہارے لیے سب سے بے رخی نہیں برت سکتی۔ تم بھی اپنے دوستوں سے ملو میں نہیں منع کرتی۔

یہ تم بار باریوں سامنے کیوں آجاتے ہو؟ مجھے بتاؤ میں اسے بلا لاؤں۔ تم یہاں میری وجہ سے نہیں آئے' نئی نئی ملاقاتوں کا شوق تمہیں یہاں لایا ہے۔"

ذرا سی دیر میں پھر ہجوم اکٹھا ہو گیا۔ ایک دو مردوں نے کچھ کہا بھی۔ اب وہ کس کس سے لڑتا پھرے۔ اس نے منہ دوسری طرف کر لیا۔ شعلہ اسے سمجھا رہی تھی۔ "میری پرورش ہی اس طرح ہوئی ہے۔ ہر ایک سے ملنا' ہر ایک سے باتیں کرنا۔ کوئی اچھا نہیں لگتا' کوئی برا نہیں لگتا۔ اور پھر ہر شخص کی اپنی قیمت ہے جو ضرورت اور وقت کو دیکھ کر گھٹائی بڑھائی جا سکتی ہے۔ تبھی مجھے آج تک کسی سے محبت نہیں ہوئی۔ کیا ہوا جو ذرا سی دلچسپی ہو گئی۔ یا کبھی کچھ دیر کے لیے جذبات پرستی آ گئی۔"

وہ دوسروں کے ساتھ ناچتی رہی اور وہ انتظار کرتا رہا۔

"میں تھک گئی ہوں۔ جی چاہتا ہے کہ کار میں لمبی سیر کو جاؤں' کسی کے کندھے سے سر لگا کر۔"

بزرگوں کی آنکھ بچا کر وہ چپکے سے باہر نکلے۔ برف باری ہو رہی تھی۔ کار سٹارٹ کی۔ شعلہ نے اپنا سر اس کے شانے پر رکھ دیا اور آنکھیں بند کر لیں۔ سرخ بال اُڑ اُڑ کر اس کے چہرے کے سامنے آ جاتے۔ ہوا کے تیز جھونکے سیٹیاں بجا رہے تھے۔ وہ کچھ دیر چپ رہا۔ باتیں شروع کرنے لگا تھا کہ شعلہ نے ٹوک دیا۔

"باتیں مت کرو۔"

"کیوں کیا ہوا؟ وہاں تو خوب بول رہی تھیں۔"

"تب باتیں کرنے کو جی کر رہا تھا اب نہیں چاہ رہا۔"

زندگی میں کبھی ایسا تجربہ نہیں ہوا تھا۔ واقفیت اور لڑکیوں سے بھی رہ چکی تھی۔ دونوں طرح کی دوستی سے واسطہ پڑا تھا۔ خاموش ذہنی رفاقت سے بھی اور تیز ہنگامی شناسائی سے بھی—— لیکن بیک وقت دونوں کبھی نہیں آئی تھیں۔ اب تو مدتوں سے وہ محبت سے بیگانہ تھا۔ شاید اس لیے کہ محبت کا آغاز واہمے سے ہوتا ہے۔ محبّت کی تحریک میں تصوّرات کو زیادہ دخل ہے اور واہمے سے اسے نفرت سی ہو چکی تھی۔

اب اس جذبے کو اچانک تحریک بھی ہوئی تو کس طور پر——

کئی دنوں تک وہ کہیں نہیں گیا۔ اس کا ارادہ تھا کہ ابھی کہیں نہیں جائے گا۔ موسم بدل رہا تھا۔ ہر وقت گھٹائیں چھائی رہتیں' بارش ہوتی' برف پڑتی۔ اسے محسوس ہونے لگا کہ کام میں بالکل دھیان نہیں رہتا۔ کر کچھ رہا ہے' سوچ کچھ رہا ہے۔ دماغ جیسے ماؤف ہو چکا ہے۔

پھر ایک نہایت پیاری صبح طلوع ہوئی۔ سنہرا سورج نکلا۔ خوشگوار دھوپ پھیل گئی۔ برف ایسی چمکی کہ آنکھیں چندھیا گئیں۔ پھر اس نے چٹان کے پیچھے چھپا ہوا ایک ننھا منا پھول دیکھا اور لبوں پر مسکراہٹ دوڑ گئی۔ سوچنے لگا کہ ڈیوٹی پر جاتے وقت کیوں نہ ان لوگوں کو بتاتا جاؤں کہ میرا انتظار نہ کریں۔ بس ذرا دیر کے لیے ٹھہروں گا۔ موڑ پر ذرا جھجکا کہ کدھر جائے؟ دائیں یا بائیں؟ سہانی صبح میں تازگی تھی۔ شگفتگی اور نکھار تھا—— اور شبنم سے ملے بہت دن ہو چکے تھے۔

شبنم ملی۔ "تم نہ آتے تو میں انتظار کرتی رہتی۔ اور اب تم آئے ہو تو بہار آئی ہے۔"

سچ مچ بہار آ رہی تھی۔ سوکھی ٹہنیوں میں نوزائیدہ کونپلیں آمدِ بہار کا مژدہ لائی تھیں۔

"ہم اس رات رقص گاہ میں تھے۔ آغا ملے تھے۔ تمہیں بھی دیکھا۔"

"مجھے بلایا کیوں نہیں۔"

"تم دور تھے!"

واقعی وہ دور تھا' اس رات وہ بہت دُور تھا۔ نادم ہو کر طرح طرح کے بہانے تراشنے لگا۔

آبشار کی مدھم صدا سنائی دی۔ یہ آواز عرصے کے بعد سنائی دے رہی ہے۔ کیا وہ جھیل اب بھی ویسی ہے؟ کیا اب بھی وہاں کنول کے پھول کھلتے ہیں؟ طیور گاتے ہیں۔ غروبِ آفتاب اب بھی ویسا ہی دلکش ہے؟— پھر شام کو اس نے شبنم کی کہانی سنی۔ شبنم کا خاندان قدیمی روایات پر جان دیتا تھا۔ اس نے ان کی مرضی کے خلاف تعلیم حاصل کی۔ وہ اسے شمعِ حرم بنانا چاہتے تھے۔ وہ آزاد ہو گئی۔ چنانچہ ان کا سلوک اچھا نہ رہا۔ اس نے ملازمت کر لی۔ انہوں نے زبردستی شادی کی بیڑیاں پہنانی چاہئیں۔ اس نے انکار کیا اور سب کو چھوڑ دیا۔ وہ تقلید کی قائل نہ تھی۔ ہر رسمی شے سے اسے نفرت تھی۔ یہ باتیں سن کر محسوس ہوا کہ اس کی اپنی زندگی کے کئی واقعات بھی تو ایسے ہی تھے۔ دونوں کے خیالات ایک حد تک یکساں تھے۔

اس نے اپنی ڈیوٹی کا ذکر کیا۔ واپسی پر وہ شہر سے گزرے گا۔ کیوں نہ وہاں ملاقات ہو۔ دونوں کبھی اکیلے باہر نہیں گئے۔ دیکھیں ایسی ملاقات کیسی ہو گی۔ چنانچہ جگہ اور وقت مقرر کیے۔

"میں پہلے پہنچوں گی۔ اگر انتظار کرنا پڑا تو میں کروں گی۔"

پھر شہر میں ملاقات ہوئی۔ وہ ہر دکان میں ٹھہر جاتا اور اس کے لیے تحفے چننے لگتا لیکن اس نے کچھ نہ خریدنے دیا۔

"مجھے صرف پھول لے دو۔ اس سے زیادہ فضول خرچی کی تو میں خفا ہو جاؤں گی۔"

"وہاں چلیں۔ وہاں بہت رونق ہے۔" اس نے اشارہ کیا۔

"وہاں شور بھی زیادہ ہو گا۔ ہم نے صبح سے باتیں بالکل نہیں کیں۔ چلو باغ کی طرف چلتے ہیں۔"

ذرا سی دیر میں وہ چیڑ کے گھنے جنگل میں ہاتھ میں ہاتھ ڈالے چل رہے تھے۔ ایک تنے پر اس نے چاقو سے دو نام کھود دے اور کہنے لگا۔ "میں تمہارا احسان

مند ہوں۔ تمہیں ملنے سے پہلے بہت غمگین رہتا تھا۔ اب ہر وقت مسرور رہتا ہوں۔ پہلے پہلے کھویا کھویا سا رہتا تھا۔ اب زندگی میں اتنی چہل پہل آگئی کہ اداس ہونے کی فرصت نہیں ملتی۔"

شبنم نے اپنی ہتھیلیوں میں اس کا چہرہ تھام لیا۔ "تم کھوئے گئے تھے۔ میں نے تمہیں ڈھونڈ لیا— میں نے کوئی احسان نہیں کیا۔ صرف تم سے ایک وعدہ چاہتی ہوں۔"

"کیا؟"

"کسی سے بھی ملو' کہیں بھی جاؤ۔ کچھ کرو۔ جب تھک جاؤ اور میں یاد آؤں' تو لوٹ آؤ گے؟"

سرسراتے ہوئے درختوں تلے آنکھوں آنکھوں میں وعدہ ہوا۔ لبوں نے پہلی مرتبہ لبوں کو چھوا۔ خلوص اور شفقت کی امانت سونپی۔

"ایک نہایت اہم خط وطن سے آیا ہے۔" اس نے خط پڑھ کر سنایا CENSOR کی وجہ سے خط اشاروں میں تھا' اس لیے وضاحت ضروری تھی۔

اس نے اپنی زندگی کا سب سے اہم واقعہ سنایا۔ زندگی کا پہلا ناگزیر تجربہ— پہلی محبت! یہ محبت اسے گھن کی طرح لگ گئی' سوہانِ روح بن کر رہ گئی۔ دن بیتتے گئے۔ صادق جذبات' کوششیں' تدبیریں' سب بے کار گئیں۔ وہ ناکام رہا۔ یہ محبت بہت سی تبدیلیوں کا باعث بنی۔ تعلیم کے لیے سمندر پار جانا منسوخ کیا۔ اُس کے قریب رہنے کی لگاتار کوشش رہی۔ وہ کچھ اور بننا چاہتا تھا' لیکن مرضی کے خلاف انجینئر بنا۔ دوستوں سے کنارہ کیا۔ دشمن بنائے۔ بہت سے تغیّر آئے۔

یہ تھی زندگی کی پہلی محبت—اور کتنی عجیب؟ کبھی اچھی طرح گفتگو تک نہیں ہوئی۔ نہ کبھی اظہار رفاقت نصیب ہوئی۔ کچھ بھی تو نہیں ہوا۔

اور اب جب کہ وہ منزل کا خیال ترک کر چکا ہے منزل اسے تلاش کر رہی ہے۔

"تمہارے دل میں اب بھی اس کے لیے جگہ ہے؟ کبھی وہ یاد آتی ہے؟"

"نہیں اب کچھ نہیں رہا۔ تب ایسی محبت میں میرے اپنے تخیل کو زیادہ

دخل تھا، وہ تو سدا کی بے حِس اور ٹھس ہے۔ کچھ اتنی زیادہ اچھی بھی نہیں۔ لیکن تب اس کے سوا اور کوئی نہیں تھا۔ اگر میں یہاں نہ ہوتا تو حالات مختلف ہوتے۔ شاید واپس وطن لوٹ جاتا۔ نہ جانے کیوں اب اُس طرف سے التفات ہو رہا ہے؟"

"کیا وہ بہت خوبصورت ہے۔"

"ہاں!"

"اور تم دونوں اتنے طویل عرصے سے ایک دوسرے کو جانتے ہو؟"

"جانتے ہی تو نہیں۔"

"جاننے لگو گے۔"

شبنم نے بہت اصرار کیا۔ دیر تک مجبور کرتی رہی۔ "میں نے پہلے بھی کہا تھا کہ میری خوشی تمہاری مسرت میں ہے۔ اب بھی کہتی ہوں کہ جی چاہتا ہے تو واپس چلے جاؤ۔"

لیکن اب اسے حسن سے کچھ زیادہ توقعات نہیں رہی تھیں۔ حسن ہی کی بدولت یہ سب تلخیاں زندگی میں آئیں۔ بعد میں اس نے حسن سے بدلے بھی چکائے حسن کو کئی بار ٹھکرایا بھی۔ اور وہ حسن سے بدظن ہو چکا تھا۔ کتنی مشکلوں کے بعد انسان میں صلاحیتیں پیدا ہوئی ہیں۔ رُوح پر فتح پانا کیسی مشقت کا کام ہے۔ لیکن حسن کو ظاہری دلکشی ہی مکمل بنا دیتی ہے۔ یہ دلکشی سب خامیاں چھپا لیتی ہے۔ دیدہ زیبی کے علاوہ اکثر حسینوں کے پاس اور کچھ نہیں ہوتا۔ وہ اپنے آپ کو ایسے عطیے کی بنا پر کامیاب سمجھتے ہیں جو انہیں مفت ملا ہے جس کے لیے انہوں نے نہ کبھی اپنے دماغ کو چھوا ہے نہ روح کو۔

اگلے روز اس نے خط کا جواب لکھا۔ نفی میں۔

آمد بہار کی نشانیاں غلط نکلیں۔ گھٹائیں پھر آ گئیں۔ جھکّڑ چلے، یخ کر دینے والی ہوا بند نہ ہوئی۔ اتنے دنوں کی تنہائی اور متواتر برفباری نے پریشان کر دیا۔ خیمے کا ساتھی جب اپنی محبوبہ سے ملنے چھٹی پر گیا تو اسے اور بھی اداس کر گیا۔ نسوانی رفاقت کے لیے بے قراری بڑھتی گئی۔ ایک روز جب شدّت سے برف پڑ رہی تھی وہ جیپ

میں جا بیٹھا۔ سامنے شیشے پر برف کی تہہ بار بار جم جاتی۔ گہری برف میں پہیے پھنس جاتے۔ لیکن دل میں وہ فقرے مچل رہے تھے جنہیں وہ شبنم سے کہنا چاہتا تھا۔ اس وقت چند پیار بھرے بولوں کے لیے وہ کیا کچھ نہ کر گزرتا۔

چوٹی سے اترتے وقت عجیب سی تبدیلی محسوس ہوئی۔ دل کو ٹٹولا' جذبات میں شدت تھی' لیکن ان میں شستگی یا ملائمت نام کو نہ تھی۔ وہاں طوفان بپا تھا۔ اسے تند و تیز قوت کھینچے لیے جا رہی تھی۔ قوتِ حیات — ایک حیوانی کشش!

وہ بائیں طرف مڑ گیا۔

گھر میں حسب معمول کوئی نہیں تھا۔ وہ خالی کمرے میں پردے کے پیچھے چھپ گیا۔ وہ گنگناتی اٹھلاتی ہوئی آئی' تو بازوؤں میں جکڑ لی گئی۔ لمحے کے لیے اُن آنکھوں میں اجنبیت اور سرد مہری دکھائی دی۔

"میرا آنا بُرا لگا؟"

"نہیں برا تو نہیں لگا' لیکن تم ہمیشہ خلاف توقع کیوں آ جاتے ہو؟"

اس نے اپنی تنہائی اور اداسیوں کا ذکر چھیڑا۔

"تم نے یہ نہیں کہا کہ میں کیسی معلوم ہو رہی ہوں؟ پہلے تو ہمیشہ بتایا کرتے تھے۔"

اس نے وہ تحفے پیش کیے جنہیں وہ شبنم کے لیے لایا تھا۔ اس نے انہیں دیکھا تک نہیں۔ "مجھ سے کہو کہ تم نے ایسی دلآویزی پہلے نہیں دیکھی اور یہ کہ مجھ سے حسین اور کوئی نہیں۔ بار بار کہو کہ تم مجھے چاہتے ہو۔ یہ سب باتیں دوہراؤ۔ آج کسی نے میری توہین کی ہے جس سے ذہن کو عجیب سا دھچکا لگا ہے۔"

"ہم شہر چلیں گے۔ راستے بھر میں تمہاری تعریفیں کروں گا۔"

"یہ تمہاری جیب میں کیا ہے؟ کسی نئی محبوبہ کا خط؟"

اس خط میں مستقل ملازمت کی پیشکش تھی' وطن میں انجینئر کے عہدے پر طالب علم کے زمانے میں وہ مستقل سروس کے خواب دیکھا کرتا۔ اس کے لیے برسوں کوشاں رہا۔ اور پھر دورانِ جنگ میں یہ پُر امن' محفوظ زندگی' معاشرتی لحاظ سے بھی بہتر تھی اور مالی لحاظ سے بھی۔ آخر کار کوششیں بار آور ہوئیں۔ یہ خط مژدہ لے کر آیا

تھا۔ اس نے فیصلہ کر لیا تھا کہ واپس چلا جائے گا۔

"تو تم واپس جانا چاہتے ہو؟ یہ منچلی زندگی تمہیں موافق نہیں آتی تو وہ خاموش جامد زندگی کیونکر پسند آئے گی؟ خیر' تم اپنی قیمت بہتر جانتے ہو۔ لیکن اس عمر میں مسکن کی تلاش؟ کیسی عجیب بات ہے۔"

"آج ہم رقص کے لیے چلیں گے۔"

"اور رقص کے بعد تم اپنے وطن کو لوٹ جاؤ گے۔"

"ابھی کہاں' کچھ دیر لگے گی۔"

"نہیں! تم واپس نہیں جاؤ گے۔"

اس نے کوئی جواب نہ دیا۔

وہ قریب آگئی۔ "کہو کہ نہیں جاؤ گے۔" بازو گردن میں حمائل ہو گئے۔

"بولو۔"

ہونٹ نزدیک آئے۔ آتشیں سرخ ہونٹ!

تب اس نے وہ فقرے دوہرائے جو دراصل شبنم کے لیے تھے۔

"خط کا جواب نفی میں دو۔ ابھی لکھو۔ اسی ڈاک سے! میں خود بھیجوں گی۔"

شہر جاتے ہوئے خط ڈال دیا گیا۔ گھٹا چھنٹ چکی تھی۔ بادل پھٹے' چاند جھانکنے لگا۔ برف پر چاندنی پھیل گئی۔ سب کچھ سحر زدہ معلوم ہونے لگا۔

خمار آور چاندنی — بہکی ہوئی فضا — ایک حسین پیکر — روزِ ازل محبت کا جذبہ چاندنی ہی میں تو پیدا ہوا تھا — محبت چاندنی ہی کی تو تخلیق ہے۔

نہیں! ابھی سے مسکن کی تلاش بے سود ہے۔ وہ کچھ دیر اور انتظار کرے گا۔

رقص گاہ میں تقریباً سب مرد شعلہ کو جانتے تھے۔ بار بار ٹوکتے' اشارے کرتے اور رقص کے لیے کہتے۔

"اس مرتبہ روشنیاں بجھیں تو میں تمہیں چوموں گا۔" ایک شخص بولا۔

"کیوں؟" شعلہ نے خوش ہو کر پوچھا۔

"اس لیے کہ میں چومنا چاہتا ہوں۔"

"اور میرے ہونٹوں کی سرخی؟"

"یہ تمہاری سرخی عجب مصیبت ہے۔ آج جیب میں فالتو سرخی لایا ہوں۔"

رقص ختم ہونے پر اس کے جاننے والوں نے اسے پھر گھیر لیا۔ پھر کسی نے اس کا بازو پکڑنے کی کوشش کی۔ وہ پھر کسی اجنبی کو باہر لے گیا۔ اسے پیٹ کر واپس لوٹا تو وہ لاپروائی سے بولی:

"یہ اس کا قصور ہے۔ دوسروں کی بدتمیزی کی میں ذمہ دار نہیں۔ صحیح آداب ہر ایک کو نہیں آتے۔"

اتنے میں شعلہ کے ہم جماعت لڑکے آگئے۔

"چلو وہاں چلیں — میں انہیں جانتی ہوں۔"

وہ لڑکوں کے ساتھ ناچنے لگی۔ ٹوکا تو بینڈ والوں سے بار بار فرمائش کرتی کہ JEALOUSY والا نغمہ بجاؤ۔

"تمہاری خاموشی دوسروں کو بیزار کر رہی ہے' ساتھ سے یہ ضد بھی ہے کہ تمہارے سوا کسی اور سے بات بھی نہ کروں۔" وہ خفا ہو کر بولی۔

"تو جاؤ چلی جاؤ۔ اگر تمہاری پوری توجہ میرے لیے نہیں تو مجھے آدھی یا تہائی توجہ کی بھی ضرورت نہیں۔"

"یہ مجھ سے کچھ بھی تو نہیں کہتے۔ فقط یہی دہراتے ہیں کہ میں خوبصورت ہوں — جو کہ میں ہوں! یہ میرے مدّاح ہیں۔ بتاؤ اس میں حرج ہی کیا ہے؟ تم بھی تو کہتے ہو کہ میں حسین ہوں۔ یاد نہیں تم نے ابھی ابھی کہا تھا؟ اچھا اگلا رقص تمہارا سہی' بس۔"

جب وہ دوسروں کے ساتھ ناچ رہی تھی تو وہ کونے میں بیٹھا دیکھ رہا تھا۔ یہ خود غرض' بے وقوف اور منہ پھٹ لڑکی۔ اس کی رفاقت وہ زیادہ برداشت نہیں کر سکتا۔ شاید اس لیے کہ دونوں کی ذہنی عمروں میں بہت فرق ہے۔ جب یہ چھچھوری اور کھوکھلی سی باتیں کرتی ہے تو حسین خدوخال مسخ ہو جاتے ہیں اور چہرہ بدنما ہوتا چلا جاتا ہے۔

اس نے تہیہ کر لیا کہ آئندہ اس سے نہیں ملے گا۔ لیکن وہ اگلے روز پھر ملا۔ اس سے اگلے روز بھی گیا۔ بعد میں جاتا رہا۔

اس نے منصوبے باندھے۔ اٹل فیصلے کیے جو بیکار ثابت ہوئے۔ یوں محسوس ہونے لگا کہ جیسے قوّتِ ارادی جواب دے چکی ہے۔ نہ شعلہ سے گریز ممکن ہے، نہ شبنم سے۔ اور وہ دونوں ایک دوسرے کے متعلق جانتی تھیں۔ شبنم کی معنی خیز خاموشی اس کے ضمیر کو چرکے لگاتی۔ شعلہ کے طعنوں اور تلخ باتوں کی کوئی انتہا نہ تھی۔ وہ سب کچھ برداشت کرتا۔ اب اس نے زیادہ سوچنا چھوڑ دیا۔ وہ صرف اتنا جانتا تھا کہ شعلہ کی محبت گھٹتے بڑھتے چاند کی طرح ہے جس میں اندھیری راتیں بھی آتی ہیں اور شبنم کا پیار تاروں کی دھیمی مگر یقینی روشنی جیسا تھا۔ کبھی اس کی محبت میں پناہ لی اور کبھی اس کے پیار میں۔

پھر ایک دور آیا جس میں اسے شدید ندامت محسوس ہوئی۔ اس نے اپنے آپ کو بُرا بھلا کہا۔ آخر اسے اپنے آپ پر کیوں قابو نہیں۔ وہ فیصلہ کیوں نہیں کر سکتا۔ وہ ایسا گیا گزرا جذبات پرست کیوں ہے۔ اور لوگ تو ایسے نہیں ہوتے۔ فیصلہ کیے بغیر ایک قدم نہیں رکھتے۔ ہمیشہ ناپ تول کر آگے بڑھتے ہیں۔

چھوٹی چھوٹی بے معنی باتوں پر کُڑھنا۔ ذرا ذرا سے واقعات کو اتنی اہمیت دینا۔ سنجیدہ مطالعہ اور اہم فرائض سے احتراز۔ اس کی فنی قابلیت پر بُرا اثر پڑ رہا تھا۔ اس کی زندگی اپنی نہ رہی تھی۔ بس دو محور بن گئے تھے جن کے گرد خیالات 'ارادے' مستقبل' سب کچھ گھوم رہا تھا۔ یہی تو جینے کا مدعا نہیں۔ اس غلط مقصد کے تحت جو کچھ اس میں قابلِ قدر تھا ضائع ہو رہا تھا۔

پشیمانی — فیصلے — تنہائیاں — ترغیب — راستوں کی کشمکش — تسکین — بے اطمینانی — پھر ندامت۔ یہ سب باقاعدگی کے ساتھ دہرایا جاتا۔

اسے یقین ہو گیا کہ وہاں رہ کر اس ترغیب سے بچنا محال ہے۔ ویسے بھی وہ کافی دیر وہاں رہ چکا تھا۔ اب کہیں باہر نکلنا چاہیے۔

ملک کے چند حصوں میں ٹڈی دَل سے بے حد نقصان پہنچا۔ امدادی جماعت کے ساتھ وہ بھی گیا۔ وہاں ایک پرانے ہم جماعت سے ملاقات ہوئی جسے بمشکل پہچان

سکا۔ وہ بالکل بوڑھا ہو چکا تھا۔ ایک ہم عمر کو بالکل ضعیف پا کر بڑی حیرانی ہوئی کہ قدرت یوں بھی کر دیتی ہے۔ اس نے بتایا کہ یہ بڑھاپا بس ایک رات میں آ گیا۔ شادی شام کو ہوئی' اگلی صبح سے بال سفید ہونے لگے۔ لڑکی کو وہ شادی سے پہلے بھی جانتا تھا۔ اس کی صورت سے نفرت کرتا تھا۔ اور لڑکی کو اس نے خود منتخب کیا۔ پتا نہیں ایسا کیوں ہوا۔ شاید اس لیے کہ بعض اوقات یوں بھی ہو جاتا ہے۔ اتفاق تھا۔

بڑھاپے کی آمد شادی کی وجہ بنی یا شادی بڑھاپے کا پیش خیمہ ثابت ہوئی۔ یہ وہ نہیں معلوم کر سکا۔ اپنے ہم جماعت کی ان باتوں نے اسے چونکا دیا۔ آئینے میں چہرہ دیکھا۔ فی الحال وہ اپنے چہرے سے مطمئن ہے۔ مگر وہ دن دور نہیں جب خدوخال بدلنے شروع ہوں گے۔ جھرّیاں —— سفید بال' دھندلی آنکھیں —— رگوں میں خون کی رفتار اور حرارت کم ہو جائے گی۔ پھر سب کچھ بے معنی معلوم ہو گا۔ کسی چیز میں دلچسپی نہیں رہے گی۔ اس کے بعد آخری مرحلہ —— موت کی آمد آمد —— موت کا انتظار جو کبھی مختصر ہوتا ہے اور کبھی بے حد طویل۔

یہ غم ادنیٰ سا غم نہیں۔ غمِ ہستی کا مداوا کہیں نہیں۔ کسی کی رفاقت' کسی کی توجہ' اسے نہیں بدل سکتی۔ کوئی اس میں شریک نہیں ہو سکتا۔ یہ غم اس کا اپنا غم ہے' اسے خود جھیلنا ہو گا۔ یہاں پہنچ کر انسان انسان کی مدد نہیں کر سکتا۔

ٹڈی دَل نے ہرے بھرے کھیتوں' باغوں' کنجوں کو اُجاڑ دیا۔ ماہرین کا خیال تھا کہ یہ محض ہوا کا رُخ تھا جو انہیں اس طرف لے آیا' ورنہ یہ بلا اس ملک کا رخ ہی نہ کرتی۔ یہ محض حادثہ تھا۔ اس نے انہیں آسمان سے اترتے دیکھا تھا —— لاکھوں' کروڑوں' اربوں کی تعداد میں۔ نہ جانے اتنی تعداد کہاں سے آ گئی۔ بالکل ایسا ہی کُلبلاتا ہجوم اس نے جلسوں اور مظاہروں میں دیکھا تھا۔ شہروں میں چلتے پھرتے انسانوں کا انبوہ شاید ٹڈی دَل کو بھی ایسا ہی معلوم ہوتا ہو۔

اس تباہی کے بعد قحط پڑا۔ قدرت کی اس عجیب حرکت کے بعد انسانوں نے عجیب عجیب حرکتیں کیں۔ مگر ان کے جرائم شاید معاف کیے جا سکتے تھے' کیونکہ وہ بھوکے تھے' مجبور تھے۔

اس پر پہلی مرتبہ انکشاف ہوا کہ شرافت اور انسانیت کو ایک خاص سطح پر برقرار رکھنے کے لیے کئی شرطوں، کئی ضروریات کا پورا ہونا لازمی ہے۔ اتنی کمینگی اور افراتفری اس نے پہلے کبھی نہیں دیکھی تھی۔ جنگ میں بھی نہیں، جہاں کم از کم تباہی کی وجہ تو سب پر عیاں ہوتی ہے۔ روح کی وہ پژمردگی، وہ ہول، وہ وحشت جو کچھ دیر کے لیے چلی گئی تھی، پھر لوٹ آئی۔ واپس کیمپ پہنچ کر اس نے اپنا تبادلہ دور کرا لیا۔

نئی جگہ کام بہت زیادہ تھا۔ پانی سے برقی طاقت حاصل کرنے کی سکیم مکمل ہونے والی تھی۔ اس قدر مصروفیت رہتی کہ سوچنے کی مہلت نہ ملتی۔ پھر وہ شام آئی جس کا سب کو انتظار تھا۔ ایک معمّر انجینئر جس کی سالہا سال کی لگاتار محنت سے یہ تجویز ظہور میں آئی، رسم افتتاح ادا کرنے والا تھا۔ جو برسوں پہلے یہاں آیا تو بالکل اجنبی تھا۔ ملک کا چپّہ چپّہ چھان کر اس نے مناسب مقام چنا، خاکے تیار کیے، مشینیں منگوائی، خون پسینہ ایک کر کے سکیم مکمل کی۔ اور آج دور دور ویرانوں میں روشنی پھیل جائے گی۔ غروب آفتاب کے وقت وہ بٹن دبائے گا اور برسوں کی ظلمتیں دور ہو جائیں گی۔ بوڑھا انجینئر اپنی اس حیرت انگیز کامیابی پر بے حد مسرور تھا۔ یہ اس کی زندگی کا سب سے اہم دن تھا۔

سہ پہر کو وہ رسم ادا کرنے آ رہا تھا کہ اچانک سڑک کا ایک حصہ بیٹھ گیا۔ موٹر الٹ گئی اور وہ مر گیا۔

آفتاب غروب ہوا تو اسے دفن کیا جا رہا تھا۔ افتتاح کی رسم اہم تھی۔ کسی اور نے بٹن دبایا۔ دور دور تک قمقمے روشن ہو گئے۔ وادیاں جگمگ جگمگ کرنے لگیں اور اس نور کا خالق اندھیرے میں اتار دیا گیا۔

وہ نظارہ اس کی روح میں سما گیا۔ حادثے، حادثے ناگہاں حادثے۔ غیر متوقع حادثے۔ خوشگوار حادثے۔ تباہ کن حادثے۔ حادثے اور اتفاقات۔ اتفاقات اور حادثے۔ ان کی گردان سے کچھ بھی تو حل نہیں ہوتا۔ پُراسرار معمّے جوں کے توں رہتے ہیں۔

نوروز کا تہوار آیا۔ بادام، سیب، شفتالو کے درخت کلیوں سے لد گئے۔ آبی،

سفید، گلابی کلیاں، معصوم سی نازک کلیاں، باغ آباد ہوئے، قصبے خالی ہو گئے۔ رنگ اور بُو کے طوفانوں میں جشن منایا گیا، لیکن اس کے دل کی ویرانی نہ گئی۔

دن گزرتے گئے۔ وہ اس مختصر سے وقفے کو بھول چکا تھا جس میں دو محبتیں آئیں اور چلی گئیں۔ چونکہ وہ زمانہ گزر چکا تھا اس لیے اب وہ اطمینان سے پیچھے مڑ کر سب کچھ دیکھ سکتا تھا۔

وہ دونوں محبتیں ایک دوسرے سے پیوست تھیں۔ انہیں علیحدہ علیحدہ پرکھنا بہت مشکل تھا۔ ایک نے دوسری کو بھڑکایا — بدظن کیا — دوسری نے پہلی کو غیر مطمئن کیا۔ اور دونوں نے ایک دوسرے کو مٹا دیا۔

وہ سوچتا کہ شاید وہ محبتیں نہیں تھیں۔ کیسے عجیب جذبے تھے جو مختلف ہونے کے باوجود جو آپس میں اس درجہ مدغم تھے۔ زندگی میں دونوں کو یکساں دخل تھا۔ دونوں جذبوں کو جُدا جُدا کیوں نہ کر سکا۔

گرمیاں تھیں جب اس کا تبادلہ پرانے کیمپ میں ہوا۔

اس کے سب ساتھی وہیں تھے۔ کسی نے بتایا کہ پہاڑ کی دوسری طرف بسنے والے وہیں ہیں۔ شبنم بھی ہے اور شعلہ بھی۔

اگلے روز اس نے چوٹی عبور کی تو گھٹائیں چھائی ہوئی تھیں۔ بادل دھند بن کر وادی میں اتر آئے اور سب کچھ اوجھل کر دیا۔

وہی وادی تھی لیکن یہاں کسی چیز کی کمی محسوس ہوئی۔ آبشار کی صدا نہیں آ رہی تھی۔ ندیاں خشک پڑی تھیں۔ آبشار کے منبع دریا نے بلندیوں پر اپنا رستہ بدل لیا تھا۔

پھر بادل پھٹے۔ اجالا ہوا اور کُنج نظر آنے لگا۔ درخت، پودے، پھول، طیور وہاں کچھ بھی نہ تھا۔ جھیل خشک ہو چکی تھی۔ کناروں پر سوکھے ہوئے کنول نظر آئے۔ آبشار نے راستہ بدل کر سب کچھ ویران کر دیا تھا۔

تب اسے خیال آیا کہ شاید شبنم کی محبّت بھی ایسی تھی۔ بظاہر اوجھل مگر دھیمی اور مستقل۔ طرح طرح کے پردوں میں چھپی ہوئی۔ روشنی کا وہ منبع جس نے اَن گنت

آئینوں سے منعکس ہو کر سب کچھ روشن کر دیا۔ اور جب یہ محبت نہ رہی تو روح کے کتنے آئینے تاریک ہو گئے۔

یکایک بائیں طرف شعاعیں بکھر گئیں۔ سڑک کے ساتھ ساتھ پہاڑ کا وہ حصہ پھولوں سے سرخ ہو رہا تھا۔ تا حدِ نگاہ لالہ کِھلا ہوا تھا۔ دہکتے ہوئے سرخ رنگ کو دیکھ کر اس نے اپنے اندر سوئے ہوئے حیوان کو جاگتے محسوس کیا۔ حیوان جو ہر انسان میں خوابیدہ ہے۔ جب جاگتا ہے تو کبھی طوفانی جذبوں کی تکمیل چاہتا ہے۔ کبھی محبوب چیزوں کو شدید ایذا پہنچا کر محظوظ ہوتا ہے۔ کبھی ملکیت کی ہوِس میں سب کچھ تہس نہس کر ڈالتا ہے۔ انسان اتنا خطرناک نہیں جتنا کہ یہ حیوان!

زندگی کے سیدھے، پیچیدہ، آسان، دشوار گزار راستوں میں بھٹکتے بھٹکتے جب دھند صاف ہو کر اجالا ہوتا ہے تو دفعتاً کوئی دوراہا نظر آنے لگتا ہے۔

جانے پہچانے موڑوں اور بل کھاتی ہوئی سڑک سے گزرتا ہوا وہ دفعتاً رُک گیا۔ سامنے وہی دوراہا تھا۔

ذہنی رفاقت اور حیوانی کشش کا دوراہا۔ جو ہمیشہ سے ہے، جو سدا رہے گا۔